JN050645

# 何がなんでも長編小説が書きたい！

進撃！作家への道！

鈴木輝一郎

河出書房新社

何がなんでも長編小説が書きたい！　進撃！　作家への道！　†　目次

# 2　一作目を書き上げたが二作目が書き上げられない　38

## 第三章　長編に行き詰まったらどうするか

## 3　登場人物が思いつかない　110

## 第四章　どうやれば長編小説を書き上げられるのか

# 何がなんでも長編小説が書きたい！

## 進撃！　作家への道！

# はじめに

本書は「プロの小説家になりたい。だけどそもそも新人賞に応募するための長編小説が書けない！」って人に向けたものです。

小説家になりたいけど、そもそも原稿が書けない、ちうのは、普通にあることなんです、はい。

本書の目的は「とりあえず新人賞に応募できるように、長編小説を最後まで埋めるにはどうしたらいいか」です。「名作を書くためには」ではありません。

「質はどうでもいい。締め切りまでに原稿用紙を埋めるにはどうしたらいいか」という方法を書いています。

こういう話をすると「埋めるだけなら、いくらでも書ける」と反論する方が多い。実際に一作目は埋められます。ただし、二作目で止まるのが普通です。

そして「途中で止まって書き上げられない」状態は、二作目でも三作目でも発生します。これはスランプではありません。症状はほぼ共通しており、原因は明確で、解決法もはっきりしています。

また、「原稿を埋めることはできるのだが、なかなか予選を通らない」という人に向けて書いた本です。

予選を通らない理由と、長編が書けない理由の二つは、実は同じ症状や原因があることが多い。「とりあえず原稿が埋められるのだから」と改善せずに放置したままであることがほとんどです。


鈴木輝一郎小説講座を開講して十年が過ぎました。名古屋で一年半、岐阜でリモート講座として再開してほぼ十年になります。新人賞を受賞またはデビューした受講生は二〇二一年七月現在で十八人。あ、これを書いている最中、第六十七回江戸川乱歩賞を桃野雑派さんが受賞しました。

名古屋でやったときは一年半で奥山景布子《きょうこ》さん、水生大海《みずきひろみ》さんと二人デビューしたんで、岐阜で再開したとき、開講当初から「新人賞を受賞してプロデビューすること」に的を絞りました。開講当初は遠方の受講生に向けてCD（死語だよ）を焼いて郵送してましたな。二〇一四年からネット配信に移行し、その後、急速に受講生が増えました。二〇一五年一月に五十人を超え、二〇一六年六月に百人を超えたところ。予選を通過するのは毎年二十人から三十人。一年間に作品講評をするのは三十五、六人なんで、鈴木輝一郎小説講座の受講者は、事実上、四人のうち三人が小説の新人賞の予選を通っている計算になります。

受講料の管理などの事務処理は事務局にまかせっきりですが、講師はぼく一人です。「一人でやってて、たいへんじゃない？」と聞かれるんですけど、「いや、五十人を過ぎたらラクになったよ」と答えるとたいていびっくりされる。ぼくもびっくりしました。

小説講座の先生をやるうえで最初に頭をかかえる問題は、「受講生が原稿を書かない――いや、書けない」ってことなんですな。

小説講座なんだけど講評する作品がないよ問題。

別段笑い話でも皮肉でもなく、小説講座の先生をはじめたとき、いちばん意外だったのは、「作品講評しようにも、受講生が作品を書き上げない」というところ。百人を超える受講生がいて、講義で講評するのが年間で四十人に満たないのは、要するに講評できる作品がないから。「講評に足る水準がない」じゃない。一定の水準が書けるんだったら、そもそも小説講座に通う必要はない。小説講座の先生の仕事は、箸にも棒にもかからない作品を、とりあえず箸にも棒にもかかるようにすることだ。作品そのものが「ない」んですよ。

書かない理由や書けない理由、その対処法などは本文で詳述しますが、この「長編を書き上げる」ってハードルはけっこう高い。

とても重要なんだけど、プロを目指す小説講座の場合、「受講生に書いていただく」というスタンスをとると必ず失敗する。はっきり言ってしまおう。世の中の誰も、小説講座の受講生のあなたの作品なんぞ待っていない。小説講座の先生が、もしあなたの作品を「ぜひ読みたい。書き上げましょう」と言ったら、それはあなたのために言ってるんじゃない。あなたの作品がないと、先生が小説講座で話すネタがなくて困っちゃう——ええい、要するに先生が自分のために言ってます。

小説講座の「お客様」は、受講生ではなく、受講生の作品を読む、将来の読者なんだよね。

ぼくの場合も、受講生が少なかった頃「これは来月、講義するネタがないなあ」と思ったとき、どうするか迷ったことがあったんですけどね。このときは受講生から「いまさら聞けない質問」を集めてしのぎました。

はっきり言って、デビュー前から「書くことがないから無理やり絞り出す」なんてことを受講生にやらせてたら、新人賞を受賞する前に潰れちゃうよね。デビューしたあとさんざん絞ることになるんだし。

で、なぜ受講生が五十人を超えたらラクになったか。

要するに「待つ」ことができるようになったんですな。

無理やり絞り出すのではなく、受講生が講義の内容を理解し、実行して、書き上げられる「時」を待つ、ちうこと。そのためには時間も必要だし、ある程度の人数がいれば、受講生に無理強いしなくても、受講生が「書きたくて」書き上げた原稿がそれなりに集まる。ないものを絞り出すより、相応に力がついて書いた作品のほうがいい。

このハウツー本は、あくまでも「長編小説を書くタネ」――じゃないか、ええと、「タネまきの時期を知るための天気予報」みたいなもんです。タネは勝手に芽吹くものではない。土を耕し、タネをまいて、肥料をやり、水をやって、太陽があたって気候がよくなって、初めて芽が出る。

みんな行き詰まるところはだいたい同じだし、解決法を示してみてもそう簡単には解決なんかしませんけどね。でも、だいたいのところがわかれば、けっこうなんとかなるものです。

では、やってゆきましょう。

# 第一章　なぜ長編執筆が必要か

プロの小説家デビューを目指す場合、長編の執筆は、不可欠な技能です。そこらへんの話をしてゆきましょう。

## 1　長編小説執筆は商業小説を目指すなら必須

なぜ職業として小説家を目指すためには、長編小説の執筆が不可欠なのか。

結論を先に言うと「小説家として経営が成り立たないから」です。身も蓋もなく、芸術性もへったくれもない話で申し訳ないんですが。要するに、長編小説でないと、書店に自著が並ばないからです。

何度言ってもまったく耳を貸さない人が一定数いるので繰り返します。「短編が書けなくてもプロでやってゆけるが、長編が書けないとプロではやってゆけない」ということです。

なぜ長編が書けないとプロとしてやってゆけないのか?

まず第一に、短編の仕事がないからです。オファーそのものがないものだと思ってください。

反論する前に、ご自身で近所の書店に足を運んで書店に並んでいる書籍をながめてみましょう。ま一目瞭然ですわな。これは昨日今日はじまった話ではなく、ぼくがデビューした三十年前から指摘されていました。

実例を申し上げましょう。

小説家鈴木輝一郎は一九九一年にデビューし、現在、著作は七十冊を超えています。一九九四年、「めんどうみてあげるね」という現代推理小説の五十枚の短編小説で、日本推理作家協会賞の短編部門を受賞しました。ですが短編小説の仕事は少なく、現代小説の短編集はわずか三冊。二〇〇三年に実業之日本社から刊行した『罪と罠へのアドレス』を最後に途絶えています。ちなみに歴史小説の短編集も二〇〇三年に河出書房新社から刊行した『幻術絵師、夢応のまぼろし』が最後。長編の歴史小説は順調に刊行し、版を重ねている、というのに、です。

短編小説だけでは食えない——というか、そもそも短編小説の仕事がない、ってのは、プロ作家生活三十年の経験と実績を根拠にした話です。

そういう話をすると、必ず「いまの時代、手軽に・隙間時間で読める短編こそ要求されるのではないか?」という反論がきます。

もちろん「手軽に・隙間時間で読める小説」の需要は存在します。

ただし、手軽に小説を読みたければ、わざわざ紙の本を買わなくても、スマホを使って『小説家になろう』や『カクヨム』などの小説投稿サイトで、無料でそこそこ面白い作品がいくらでも読める。

小説投稿サイトの書き手をアマチュアだ、と自分に都合よく勘違いし、「プロとアマの差がなくなった」と願望と妄想にしがみつく人がいるんですが、それは大きな間違い。

『小説家になろう』の二〇二一年七月六日午前九時三十八分ランキングをみると一位は『戦闘力のないハズレ才能【翻訳】で古代魔導書を読み漁っていたら世界最強になってました』で累計四百九十三万アクセス。ユニークアクセスは百六十五万アクセス、つまり「およそ百七十万人がこの小説を読んだ」ことになる。いろんな要素があることは否定しないが、率直に言って、百七十万人が読んだ小説の著者の、どこがアマチュアなんだ。

小説投稿サイトはその性格上、データを数値化できる。ランキングで上位に残り続ける書き手は、アクセスが上位にくるワードや検索語をリストアップし、読まれる枚数や改行の文字数を決め、毎日欠かさず定時に更新している。誰からも催促されずに、だ。こんなプロフェッショナルでストイックな書き手に対して「プロとアマの差がなくなった」というのは、書き手の努力と誠意に対して愚弄するがごとき物言いだろう。ギャランティの発生する場所と時間と順番が紙の書籍と異なるだけで、どこをどうみたってプロの書き手じゃないか。


「手軽に・隙間時間で読む小説」は、かつては新聞小説の役割だった。いまはスマホで手軽に読むWEB小説に移行した。ええい、断言しよう。「手軽に・隙間時間で読む紙小説」は、すでにスマホで読む無料小説に、その席を奪われています。まずその現実を受け入れましょう。

そのなかで「現在の紙の書籍の世界で、小説家としてどう生きてゆくか」を見据えることが大切なわけだ。

なぜ長編が書けないとプロの小説家としてやってゆけないのか?

第二に、ごく物理的な理由で、長編でないと一冊の本にならず、そして本にならないと書店に並べられず、何より書店に並んでいない本は、そもそも売ることができないからです。

現状の文芸書籍の世界は、紙ベースの書籍で流通するよう、ビジネスモデルが構築されています。

紙の書籍は当然ながら紙でできています。そして紙の本は一定の分量がないと製本できず、書籍にすることができない、という問題をかかえています。

「電子書籍があるじゃないか」という反論があるでしょう。たしかに電子書籍は無視できない売り上げにはなってきたのですが、個々の売り上げは細分化されすぎていて、とても採算がとれない。電子書籍は大きく売り上げが落ち込まないというメリットと、絶版とは無縁で息長く売ってゆけるというメリットがあり、かつての文庫のようなポジションを獲得しつつあります。ただし印税は一冊単位での実売印税です。半年ごとに印税が精算されるのですが、印税率二十パーセント(紙の本よりは印税率は高い)として、一冊千五百円の本が半年に五十冊売れる（これはけっこう健闘しているほうです）場合、半年に著者に入るのは一万五千円にしかならない。

文庫書き下ろしを中心に書き続けている同業者知人が「電子書籍は流通しているものが百冊超えると、ようやく一息つけるよ。もちろん紙で出し続けないと、電子は動かないけど」と言っていたのですが、さもありなん、という数字です。

何より、紙の書籍で出さないと、電子書籍の本も売れません。ちょっと振り返ってみましょう。あなたはhontoやkindleなどの電子書籍で何冊も本を買っているでしょうが、紙の本になったことのない著者の作品を、何冊持っているでしょうか。

大切なことなので、何度でも繰り返します。

小説家としてやってゆくためには、紙の本を刊行することは必須です。

そして、紙の本を刊行するためには、長編小説を執筆できることが必須です。

だから、長編小説を書きましょう、ということです。

## 2　長編小説とは何か

文学的な意味ではなく「新人賞に応募する作品としての長編小説とは何か」という話をしましょう。

もちろん「単行本・文庫などで一冊にまとめられるだけの分量のある小説」を「長編小説」といいます。日本語で書かれていることが必須です。量としては四百字詰め原稿用紙換算で二百五十枚から五百枚。文字数に換算すると十万文字から二十万文字の作品です。

文字数・分量はあくまでも「このぐらいなら一冊にまとめられるだろう」という目安にすぎないことはご注意ください。

二十万文字書いても、四百字換算で五百枚に収まるとは限らないし、新人賞の募集要項で指定された三十字×四十行×○ページという範囲に収まらないこともある。「そんな場合にはどうしたらいいですか？」と相談されるのはよくあります。いちおう「どの書式でも収まるように推敲しなさい」と回答はします。推敲する習慣をつけるのは大切ですしね。

ただ、実際には、募集要項で指定されたうちのどれかに収まるのであれば大丈夫ではあります。文字数にしても原稿用紙換算にしても文字数行数ページ数指定にしても、本にまとめるときレイアウトしなおすんで、書式はあくまでも目安です。ただし、ページ数は制作原価に直結し、制作原価は本の価格に直結するので、無謀な増減はいけません。

文芸書籍の定価は主として初版部数とページ数で決まってくる（それだけじゃないが）。あと、本のページは製本の関係で一般的には十六ページ単位という制約がある。一行詰めるだけで折丁が一折減らせて単価も下げられるということはけっこうあるんで、出版社の注文によって内容をかえずに増減できる職人気質も必要になってはきます。

内容としては「メインになるイベント（事件・出来事・人物）はひとつであること」「メインになる登場人物群（一人とは限らない）は同じであること」「メインになる事件・イベントは作品内で必ず結末をむかえること」といった約束ごとはあります。それ以外は特にきまりごとはありません。

短編小説の連作と長編小説は別のものです。

あまりにもフリーハンドすぎて「初めて書く場合、どこから手をつけていいのかわからなくて戸惑う」のが長編小説の特色だろうと思います。

そのせいか、ちょいちょい「短編連作では駄目でしょうか?」と問い合わせを受けます。その際には「短編連作ではなく、長編小説を書きましょう」と答えることにしています。見た目の分量が短編連作と長編では同じでも「短編連作は不可」という理由は主に、「実は短編連作のほうが難しい」からです。

短編小説のほうが長編小説を書くより難しい。

なぜなら、短編小説は「形を整えるだけなら誰でも書ける」「そのため、他人との差別化が難しい」からです。

短編小説とは(若干の定義の違いがありますが)原稿用紙換算で三十枚から五十枚ぐらいのものです。

物理的な分量に限りがあるので、そこそこ形が整ったものにするには、ある程度のセオリーがあります(もちろん、セオリーから外れた名作はいくらでもあります)。

「作品内時間はできれば数時間、長くても数日」「主要な登場人物は二、三人」「多くても三シーン以内」「視点者は一人」といったものが短編のセオリーです。

このセオリーを並べてみればわかる通り、物語の主たる事件について「設定」「展開」「決着」を並べるだけで三十枚ぐらいになってしまいます。はっきり言ってしまえば中身がなくても形になるわけですな。

短編小説はもともとこういう構造になっているので、ストーリーで読者の意表を突くのはきわめて困難です。また、枚数が少ないので取材力を発揮する余地はきわめて少ない。あと、文章で斬新さを出すのは、ほぼ不可能だと思ってください。「斬新な文章」とは「既存の文法にとらわれない文章」のことで、要するに単純に読みにくいからです。

結局のところ、アイデアでうならせるしか方法が残されていませんが、これは生まれつきの天分に大きく左右される分野で、努力の入る余地はほとんどありません。

もちろん新津《にいつ》きよみさんのような短編の名手はこのセオリーをあえて外し、人物のスケッチや描写を切り取ることで切れ味鋭い心理サスペンスを書きます。ただし「短編小説が好きで好きで仕方ない」というのであればともかく、「とりあえず小説家としてデビューするには何を書くのがいちばんラクで手っ取り早いか」ということです。

長編小説は、物理的に量が多いので、埋めるだけで労力が必要です。

そこに迷わされるものです。

日常生活のなかで、原稿用紙換算三百枚の文章を書くことはありません。一日で書き上がることはなく、何ヶ月もかかる。誰にも読まれるあてがなく、書いている最中にむなしさのあまり何度も心が折れて投げ出したくなったり、もっといいアイデアが次々と浮かんできて「こっちのほうがいいネタかも」（実際、いいネタであることは多いんですが）と思って投げ出し、結局書かなくなることも多い。

また、長編をささえきれるだけの情報量が必要です。

コピペするだけでも三百枚を埋めるのはけっこう労力が要ります。実際に書いてみるとわかるんですが、資料などに目を通してみても、作品のなかに使えるものは一冊読んで一行あればいいほうです。――まあ、そのぐらいきちんと捨てて咀嚼《そしやく》して消化して出力しないと、ただのコピペ本になっちゃいますが。

しかし労力はしょせん労力です。人力と気力で補える程度のものです。

天分は生まれつきのもので増えることはありませんが、労力は結果を蓄積することができます。労力を継続すれば実力になる。

トイレに入るとき個室を使う習慣をつけ、トイレに行くたびに一回二行・四十文字書いたとしよう。一日十回トイレに行ったら一日四百文字書くことができ、十ヶ月を待たずに三百枚の長編が書き上がります。いきなり三百枚の（しかもほぼ確実に無駄になる）原稿を書くのは勇気が要りますが、こうやってみるとけっこうなんとかなりそうですよね？

実際、なんとかなります。

「なんとかならない」理由と、その解決法は、これからみてゆきましょう。

# 第二章　長編執筆で、いつ、なぜ行き詰まるのか

いつ長編小説の執筆で行き詰まるか。行き詰まる時期は大きく分けて次の三つです。
一　一作目を書く前から書けない。
二　一作目を書き上げたが二作目が書けない。
三　途中で止まって書き上げられない（何作目かは関係ない）。
ちなみに三つ目の「途中で止まって書き上げられない」という症状は、一作目でも二作目でも三作目でも四作目でも発生します。プロの場合、これを「スランプ」と呼びますが、デビュー前のアマチュアの場合は「書けなくなる」のはスランプではありません。原因ははっきりしていますし、解決法も明快です。

それでは、なぜ長編小説が書けないのか、どの段階で長編小説が書けなくなるのか、その「症例」と「原因」を解説してゆきましょう。

# 1　一作目を書く前から長編が書けない

最初の一作が書けない状態を「行き詰まる」と呼んでいいのかわかりませんが、わりとよくある事例です。「短編はなんとか書き上げられたが長編を書こうとすると筆が止まる」といったこともよくあります。

原因としては、「環境が理由のもの」「心理的な理由のもの」「体調が理由のもの」があげられます。

勘違いしやすいのですが、「最初の一作を書く前から長編が書けない」理由は、小説技術の問題ではありません。とてもよくある「どこから手をつけていいのかわからない」という問題は「心理的な理由のもの」です。存在していない作品について語るのに、技術的な問題もへったくれもありませんよね。

## 書かなくても困らないから書けない

「環境が理由で最初の一作が書けない」とはちょっとわかりにくいかな？　わかりやすい

言い方をすると「書かなくても困らないから書けない」です。

職業小説家が小説を執筆するモチベーションで最も重要なのは「書かないと困るから書く」です。我々プロは書かないと食ってゆけない。だから「書けないから書かない」という選択肢はありません。

長編一作目の最初の一枚が書けずに立ち往生しているそこのあなたが、なぜ書けないか。それは、あなたが書かなくても誰も困らないからです。

## 時間がないから書けない

よくみかける理由としては「書く時間がない」「書く場所がない」などがあります。「書く時間がない」「書く場所がない」という場合、本当の理由は、この二つではなく「やりたくない」です。

ちょいとエクセルを起動して、あなたの一日の行動を時間ごとの表にしてみましょう。あなたは一日にスマホをどのぐらい覗いていますか？ Twitter や Facebook で、どのぐらいどうでもいいような書き込みを読んだり書き込んだり、気晴らしのゲームをしたり、ニュースをチェックしたりしていますか？

ここでちょっと考えてみましょう。あなたがしている「どうでもいいようなこと」とは、実は「どうでもいい」わけではありません。「やりたいからやっていること」です。なぜ気晴らしのゲームをするのか？　気晴らしをしたいからです。通勤の電車のなかで読まなければならないほどの緊急のニュースってなんでしょう？　なぜその時間を執筆に充《あ》てないのか？　それは「書きたくない」からです。

「パソコンの前でなければ原稿が書けない」なんて時代ではありません。小説は本来、「いつでもどこでもどんな環境でも書ける」ものです。ぼくの時代はメモ用紙と万年筆で隙間時間に下書きしたものでした。いま、これだけスマホが普及しているのなら、クラウドに原稿を置いておけば、いつでもどこでも原稿が書けます。

唯一の例外は「未就学児さんと同居していること」です。人間が絶対に一人になれる個室はトイレと棺桶のなかだけです。けれど、未就学児さんだけは平然と（ときには絶叫しながら）用便中のトイレに突入してきます。これは対策のたてようがありません。

## 無駄働きだと思うと筆が進まない

ほかに心理的な理由として、「無駄働きだと思うと筆が進まない」があります。

小説家を目指していながら一行も書けない人に、共通していることがあります。それは、「はじめから名作が書ける」と思い込んでいることです。

絵がうまいからといって、いきなり画家になれると思う人はいませんね？　デッサンを勉強したり、フォトショップなどの画像処理ソフトの勉強などをしたりしますね。

音楽がうまいからといって、いきなりミュージシャンを目指す人は——まあ、ときどきいますが、それでも練習を欠かすことはないでしょう。ミュージシャンは練習で収入を得ることはありますか？

小説といえども、練習や勉強は必要です。習作を執筆するのは「無駄働き」ではありません。もちろん、何ひとつ小説の勉強をせずにさっさと書き上げて新人賞を受賞し、デビューしてしまう人は、小説家の業界ではザラにみかけます。ただし、本書を読んでいる、そこのあなたではありません。

小説の新人賞の応募作の執筆には「ライター経験の壁」というものが歴然として存在します。ライターなどの著述業の経験があると挫折しやすい、というものです。二〇二一年現在で、鈴木輝一郎小説講座からデビューしたなかでは例外はありません。これは技術上の問題ではなく、「著述業の経験があると、いくらぐらいの無駄書きをしたか、具体的に数字がわかってしまって心が折れる」からです。

## 書き上げてしまうと自分の実力に直面してしまうのが嫌

もうひとつの心理的な理由として「書き上げてしまうと自分の実力に直面することになる。そのことが嫌」というものがあります。これは比較的高齢の男性に多くみかけます。ことの性格上、詳しい統計データを出しようがありませんが、歴然とした性差があります。

プロの商業作品の批評や批判に熱心で、若い女性作家と接する機会があると「いったいどんなコネを使ってデビューしたの？」と言ってくるタイプですね。これは自覚していないケースがとても多いので、胸に手を当てて自分をかえりみることをお勧めします。

作品が脳内にある間は、誰でも巨匠です。率直におたずねします。あなたは「脳内巨匠」で終わりたいか？

## 体調が理由で書き上げられない

「体調が理由」として考えられるのは、統合失調症の陰性症状や鬱病などの疾患です。小説の執筆は、鬱病を誘発しやすい環境といえます。

二〇二〇年、新型コロナウイルスの問題が発生したとき、「コロナ鬱」と呼ばれる現象が話題になりました。つまり、「自宅にこもりきり」で「オンとオフの区別がつかず」「運動せず」「他人と会わない」状態が続くと鬱病を発症する、というものです。よく考えてみましょう、この、新型コロナ下の生活は、そっくりそのまま、小説家の日常生活です。精神科や心療内科に入院もしくは通院した経験があり、小説を書こうとしても一行も進まない場合、とりあえず鬱を疑い、医師に相談することをお勧めします。

## 2　一作目を書き上げたが二作目が書き上げられない

二作目（または三作目とか四作目）が途中で止まって書き上げられない、というのは、最もよくある事例です。

二〇一九年六月、鈴木輝一郎小説講座で「なぜ長編が書き上げられないのか」ということについて受講生に匿名調査をしました。このとき四十一名の回答を得ました。「一作書き上げたが次の作品を書き上げられない（三十四・一％）」が「長編に着手したが途中で挫折した（二十二％）」を上回りました。

二作目または三作目などが、途中で止まって書き上げられない、という場合の、症状はほぼ決まっています。大きく二つの症状に分けられます。

一　途中で行き詰まるもの。
二　冒頭から行き詰まるもの。

## 途中で行き詰まるもの

まず第一に、途中で行き詰まるもの。これは二作目のときもあれば、三作目でも四作目でも五作目でも起こります。

主な症状として、下記のものがあげられます。「出来が悪くて書き続けるのが苦痛」「書いている最中に、いま書いている作品とはまったく別のアイデアが次々と湧いて、そちらを書いてしまう」「書きすすめるにつれてテーマがずれる」「当初予定していたストーリーから逸脱する」「キャラクターが変化して収拾がつかなくなる」などなど。

## 出来が悪くて書き続けるのが苦痛

途中で行き詰まる症状のうち、最も多かった回答が「出来が悪くて書き続けるのが苦痛」というものです。

この症状は容易に自覚でき、解決法も明快です。

鈴木輝一郎小説講座では、さらに二〇一九年七月「『出来が悪くて書き続けるのが苦痛』なのはなぜか」と調査しました。四十名の受講生が回答しました（複数回答につき合計は百%を超えます）。

彼らが（長編を書き上げられない、そこのあなたが）考える「出来が悪い作品」とは何か。さらに「何にくらべて出来が悪いと思いますか」と調査したところ、「自分のイメージしている完成像にくらべて出来が悪い」が五十五%。次点の「漠然と」が十五%なので、だいたい集中しています。

それでは「どのぐらいの水準で書くことができれば『出来がいい』と思えると予測しますか」と問いかけてみたら、受講生の回答が一気に分散しました。「書き上げていないから わからない」が三十・六%で最も多く、あとはほぼ全員が「その他」の記述式を選択したうえで異なる回答でした。

つまり、この「出来が悪いので書き上げることができない」症状の原因は、「目標とすべきイメージがない。目標とすべきイメージがないから、自分が目標とすべき作品の出来との距離感がつかめず、書き上げられない」ということです。

どんなものを書きたいのか自分で把握していないのであれば、何も書けないのは当たり前です。解決法は単純明快です。

一　自分の小説が下手だと受け入れる。下手は恥じゃない。
二　目標とする作品または作家を決める。目標がなければ自分の実力もわからない。
三　まず最後まで書き上げる。存在しないと下手にさえなれない。

とても重要なことですが、下手は恥じゃない。駄作を書き上げる勇気を持つことが何よりも大切です。

そして、さらに重要なことを。プロとは、名作を書く人のことではありません。島本和彦氏が『吼《ほ》えろペン』で喝破した通り、駄作で金をもらってこそ本当のプロです。

## 書いている最中に別のアイデアが湧いて、そちらを書いてしまう

「書いている最中に、いま書いている作品とはまったく別のアイデアが次々と湧いて、そちらを書いてしまう」という症状は、とてもよく耳にします。

この原因は明快です。脳の逃避行動です。つまり「書いていて行き詰まったので、脳がそこから逃避しようとしている」ということです。しかも脳はちょいちょい全力で逃避しようとするので、この「まったく別のアイデア」は、本来書こうとしているものよりも、はるかにいいアイデアだったりします。

そして、本来の作品を捨てて新しいアイデアの原稿に本腰を入れて書きはじめると、その瞬間、さらにまったく別のアイデアが降ってくる、という症状が出ます。こうして、次々と新しいアイデアに乗り換え続け、その結果、途中で投げ出した未完成の作品だけが死屍累々と残る、という結果が出ます。

この解決法はシンプルです。「行き詰まったときに湧いてくるアイデアはメモしておき、とりあえず我慢して目の前の原稿を書き上げる」です。

## 書きすすめるにつれてテーマがずれる

「書きすすめるにつれてテーマがずれる」は、文字通りの症状です。

書きすすめるにつれて、当初、著者が伝えたかったテーマからずれてゆくものです。著者が何を書きたかったのか混乱してゆく状態です。著者が何を書きたかったのかわからないのですから、「著者が何を伝えたいのかわからない作品」になります。

実は、この「書きすすめるにつれてテーマがずれる」症状を自覚するのは、きわめて難しい。テーマとストーリーとキャラクターと素材（題材）は複雑にからみあっているので、原因が「テーマがずれている」と絞り込むことがまず難しい。なんと言っても、著者自身が「何を伝えたいのか自覚しているつもり」だけどわかっていないことがほとんどです。

鈴木輝一郎小説講座では、受講生の作品について「何が書いてあるのかわからない」と評価をしたら、その次に、テーマやストーリーやキャラクターの、どこに原因があるのかを分析するようにしています。ですが、「あなたの作品は何が書いてあるのかわからない水準だ」と評価した瞬間、受講生が激怒したり失望したり講師を逆恨みしたりする例が後を絶ちません。それほど自覚が難しい症例です。

この症状を自覚するための方法のひとつとして「自分の作品のキャッチコピーを書いてみる」という手法があります。自分の作品が書店に並んだと想像して、その本の帯コピーを書くならどういうものにするか、考えるものです。

たとえば童話『桃太郎』の帯コピーをつくるとすれば、「桃から生まれた桃太郎！」というフレーズですね。

いざやってみると、かなり難しいことがけっこうあります。

「書きすすめるにつれてテーマがずれる」ことの原因のひとつとしては、「作品をつくり上げるうえでの材料不足」ということはあります。テーマにそった作品をつくり上げるためには素材の取捨選択が必要なのですが、書き上げるための材料が不足していて捨てるものがないうえに、本来書きたいものとは関係ないものまで強引に詰め込んで、その結果、支離滅裂になる、というものです。

もうひとつの原因としては「絞り込み不足」があげられます。テーマが抽象的すぎてぐちゃぐちゃになってゆくパターンです。

たとえば前述の「キャッチコピーをつくる」という作業をしてみて、あなたの作品が「夢に向かって努力し、挫折する辛さ」というテーマだったとしましょう。書き上げたら、大きく深呼吸して、考えましょう。「夢に向かって努力し、挫折する辛さ」というテーマは、はっきり言って小学生以上のほとんどの老若男女に当てはまるテーマです。誰にでも当てはまるテーマであれば、その結果どんなストーリーでもどんなキャラクターでも、そしてどんな行動をとっても当てはまってしまう。つまり、何も伝えたいことがないこととまったく同じです。

治療方法などは次章でじっくり解説してゆきましょう。

## 当初予定していたストーリーから逸脱する・キャラが勝手に動く

「当初予定していたストーリーから逸脱する」もまた、どこが悪いのか、自覚が難しい症状です。

プロの場合、しばしば「キャラが勝手に動く」として、よくある事例ですし、そのほうがいい作品になることもあります。しかし、デビュー前の新人の作品で「キャラが勝手に動いたからストーリーをかえ、その結果、いい作品になった」ということはありません。

ミステリーとそれ以外では若干事情が違います。

先に一般文芸の事例をあげましょう。

一般文芸の場合、プロのいう「キャラが勝手に動く」とは、「確固たる登場人物をつくり、作品内で発生した事件に対処させようとしたら、当初予定していたストーリーと、登場人物の取り得べき行動との間に齟齬《そご》が発生した。このため登場人物の行動を優先し、ストーリーを変更する状態」のことです。多くのプロはここらへんのことをいちいち考えず、カンでやっているので「キャラが勝手に動く」といいます。

アマチュアが「当初予定していたストーリーから逸脱する・キャラが勝手に動く」という場合の主たる原因は次の通り。

一　キャラクターそのものをほとんど考えていないのでストーリーをささえきれなくなり、その結果、ストーリーをいじって都合をつける。

二　取材などの材料不足で書くことがなくなり、ストーリーをささえきれなくなって、その結果、ストーリーをいじって都合をつける。

三　テーマの詰めが甘く、どんな物語でも通用してしまうようなテーマにしてしまったためにストーリーをささえきれなくなって、その結果、テーマをいじって都合をつける。

基本的に右記の三つの事象が同時に発生します。つまり「キャラクターの詰めが甘く、取材不足で書くことがなく、何が言いたいのかはっきりしていないテーマで、一貫したストーリーのない小説になる」ということです。

前述の通り、これはまず症状を自覚することが難しい。症状を自覚するためには、ご自身の作品の登場人物の履歴書を作成することを強くお勧めします。登場人物の履歴書の書き方については拙著『何がなんでも新人賞獲らせます！』『何がなんでもミステリー作家になりたい！』で詳述したので、そちらをご覧ください。

とりあえずＪＩＳ規格の履歴書を、コンビニで買うかダウンロードして、登場人物の履歴書をつくってみるといいでしょう（ちなみに鈴木輝一郎小説講座では「履歴書Ａ」と呼んでいます）。ネットでよくみかける「小説のキャラクター設定シート」のたぐいは、必要な項目が少なすぎて小説の執筆にはまったく役に立たないと思ってください。

ＪＩＳ規格の履歴書は、キャラクターの設定うんぬん以前に、「基本的な社会生活をしていなければ埋められない」ようにつくられています。すなわち「登場人物がその作品世界のなかで人間として生活できるような、基本的な設定をつくっていないと埋められない」ようにつくられています。

もしあなたがＪＩＳ規格の履歴書を埋められなかった場合、ストーリーが崩れた理由は「取材不足」です。

一般文芸でいうストーリーとは、「登場人物が、物語の目的に向かって行動し、達成するプロセス」のことです。

もちろん例外はたくさんあります。ストーリーではなく人間を描くことを主体とした名作はいくらでもありますし、ストーリーではなく作品世界を描くことを主体とした名作もまた、いくらでもあります。

ただし、ストーリーを描かず作品世界を把握せず、どんな登場人物なのか著者がまったくつくっていない、という名作はありません。

## どんでん返しをしまくって迷走する

ミステリーの場合、一般文芸と基本的な考え方は同じです。まず登場人物の履歴書をつくってチェックしてみることは重要です。

しかし、ミステリーの場合、「どんでん返しをしまくった結果、つまりどんな話なのか、わからなくなって迷走する」といったケースがとてもよく起こります。

著者本人はストーリーを二転三転させて悦に入ってしまい、「迷走している」と自覚しにくいことがけっこうあります。

自覚する方法のひとつとしては、あらすじを書いてみる、ということがあります。そのうえで「主たる謎は何か」「この登場人物の目的は何か」を書き出してみると、自分が混乱していることがわかります。ひっくり返していいものと悪いものの区別がつかなくなっているわけですな。

ミステリーを書く場合、重要なのは「誰があっと驚く」のかを把握することです。読者を驚かせるのではありません。登場人物の誰かを驚かせるのです。登場人物を驚かせるためには、「登場人物が驚かない状態は何か」を把握しておく必要があります。

目の前に切り刻まれた人間が転がっていた場合、同じ十九歳でも、大学生のナントカ君は周章狼狽するでしょうが、織田信長や徳川家康なら、驚きもせずに「そいつは誰だ？」とチェックするのがせいぜいでしょう。

## キャラクターが変化して収拾がつかなくなる

「キャラクターが変化して収拾がつかなくなる」症状は、最も自覚が困難なものだと思ってください。

小説とは「作品のなかで起こる出来事によって、登場人物（主人公とは限らない）の人生が変化することを描く」ものです。キャラクターが変化するのが本来の姿なので、なぜそこで収拾がつかなくなるのか、なぜ変化することで物語が混乱するのか、わからない、ということです。

症状を自覚する方法として、これもまた、「登場人物のＪＩＳ規格の履歴書をつくる」のがベストです。登場人物の数だけ履歴書を作成してゆきます。主たる登場人物が未成年や大学生の場合、両親の履歴書を作成します。学校を舞台にする場合、教師の履歴書をつくることも忘れずに。

この症状を自覚する作業で、最もよくあるのが「なかなか埋まらない」「どんな人物だったか忘れてた」といったことです。ここに、根本的な問題があります。著者が忘れてしまうような薄い印象しかないキャラクターでは、読者の印象には残りません。

そして苦労して作成した履歴書を振り返ってみましょう。

大きく左記の二つになると思います。この二つは複合してあらわれることもあります。

一　履歴書が真っ白。

二　履歴書の数がやたらに多い。

「履歴書が真っ白」という場合、「キャラクターが変化するところと変化しないところの区別がついていない」ということです。何もつくっていなければ、変化することはできません。

「履歴書の数がやたらに多い」という場合、「当初予定していなかった人物が次々出てくる」場合もあります。この現象の原因はシンプルです。「登場人物について何も考えていなかったので作品をささえきれず、とりあえず違うキャラクターを付け足すことで枚数を埋めた」というものです。

右記の二つの症状には、共通することがあります。それは「キャラクターの違いがほとんどない」ということです。

履歴書が真っ白の場合、そもそもキャラクターの違いうんぬん以前に、何もつくっていないので、違いもへったくれもありません。

履歴書の数がやたらに多い場合、そもそも何も考えず、埋めるためだけにつくったキャラクターなので、いくら人数がいても、違いは出ません。

登場人物をつくらずに書いた場合、その人物の言動や感性や事件に対してのリアクションは、著者とまったく同じ人物になります。

つまり、登場人物は肩書だけが違う、すべて同じ人物です。これでは小説ではなく、変則的なエッセイというもので、読者は著者のひとりごとを、延々と聞かされる、というわけです。

ストーリーに行き詰まった場合、原因はストーリーではなく、登場人物のつくり込み不足か、取材不足にあります。

逆にいえば、登場人物を十分つくり、取材を入念にする（ファンタジーの場合ならば作品世界の設定を入念につくる）、ということをやっておけば、ストーリーはどうとでもなる、ということでもあります。

## 冒頭から行き詰まるもの

第二にあげられる症状は「冒頭から行き詰まるもの」です。主な症状は下記のもの。「どうやったらいいのかわからない」「書くことがない」「テーマがわからない」「魅力的な人物が思いつかない」「ストーリーが思いつかない」「トリックが思いつかない」などなど。複雑そうですが、要素をばらして考えると、解決法は「体力をつける」「十分なインプットをする」の二つに集約されます。

「どうやったらいいのかわからない」という症状は、ほかの言い方をする場合もあります。つまり「何も思いつかない」「パソコンの前に座ると頭が真っ白になる」「スランプで一行も書けない」などです。

## 小説的体力が尽きた

長編を書いた直後にこの「どうやったらいいのかわからない」状態になったら、第一に考えられる原因は「体力が尽きた」です。脳といえども肉体の一部です。

生まれて初めてフルマラソンを完走したら、疲れきってぐったりしますね？　生まれて初めて原稿用紙換算三百枚の原稿を書き上げたら、脳だって疲れきってぐったりします。

完走するためには、長編の長さに慣れることが大切です。走らずに長距離を走りきる体力をつけることが不可能なように、長編を書き上げずに長編を書き上げられる体力をつけることはできません。

## 自分の実力を冷静に評価し、反動で無力感に襲われた

第二に考えられる原因は「自分の実力を冷静に評価し、反動で無力感に襲われた」です。長編を書き上げ、しばらく経ってから読み返したときにこの「下手すぎてどうやったらいいのかわからない」症状が出たら、素直に喜んでください。それは「冷静に自分の作品が読めるようになった――眼力が成長した」ということです。

あなたが生まれて初めて書いた作品は、

「どこから手をつけていいのかわからないほど低い水準」

だということに、自分で気づくことができたわけです。先に言っておきますが、そうした水準は「新人賞の応募作としては標準的な水準」です。

体力があまりついていない状態で長編を書き上げると、例外なく「脱稿ハイ」に見舞われます。

つまり「三百枚・十二万文字の長編小説を書き上げた、俺ってスゴイ！」と、脳内麻薬が炸裂し「きだがさっさ〜」と脳が頭蓋骨のなかで秋田音頭を歌って踊っている状態です。書き上げただけで気分が巨匠になったり、投函した瞬間に「この作品で世界をかえる！」と妄想が爆発する人もいます。この状態を「脱稿ハイ」といいます。

小説家の業界は天才が掃いて捨てるほど存在する世界です。「生まれて初めて書いた小説で新人賞を受賞してデビューし、大ヒットをとばした人」はとてもよくみかけます。ただし、それは本書を読んでいる、そこのあなたではありません。

カタギの生活をしていると、周囲に長編小説を書き上げた人間そのものがいません。それゆえ「新人賞に応募した全員が長編を書き上げている」という、当たり前の事実に思考がまわらないのです。

鈴木輝一郎小説講座の最も重要な仕事のひとつに、「舞い上がって沸騰した受講生の脳を冷やす」ことがあります。

ネット配信での作品講評のとき、画面で原稿のツカ（束、原稿の厚さです。表紙に書かれた著者情報はほかの受講生がみることはできません）をカメラに示すことにしています。けっこうな厚みになるんですが、これをほかの受講生にみせることで「新人賞に応募した全員が長編を書き上げた」という事実を視覚的に実感させています。

自分の作品の下手さ加減に気づいたことに、まず自信を持ってください。舞い上がったまま、脳内文豪のまま、自分の筆力が鈴木輝一郎の足元にも及んでいないという事実に気づかないまま、鈴木の指摘に激怒して辞めてゆく受講生は、とても多くいます。しつこく繰り返します。デビュー前の自分の作品が、目を覆いたくなるほど下手なのは当たり前です。何が書いてあるのかわからないのは、とても標準的な水準です。

いま、あなたは、自分の実力に気がついたところです。ひとつずつ目の前の問題を片付けてゆきましょう。

## 書くことがない

「書くことがない」という症状は、状態は明らかですが原因は様々です。

第一に考えられる原因は、前述の「どうやったらいいのかわからない」と同じものです。

小説的体力が尽きた、無力感に襲われた、といったことです。

第二に考えられる原因は、小説技術の未熟さによるものです。

正確には「書くことがない」というより、「手持ちの勢いと蓄積だけで書いてきたが、それだけでは不足だと自覚した」ということです。要素をばらしてみると、「テーマが思いつかない」「ストーリーが思いつかない」「トリックが思いつかない」「魅力ある人物が思いつかない」「シーンが思いつかない」などがあります。これは三章で詳しく解説しましょう。

第三に考えられる原因は、「書きたいことがなくなった」です。

「書くことがないのは、書きたいことがなくなったからだ」というのは、なんだか小泉進次郎のインタビューコメントのようですけど、真実です。

この症状が出たら、いちおう、吉報だと思ってください。それは、「あなたが作品に全力で取り組み、出し惜しみせずに書いた」ことを意味するからです。

ちなみにこの症状は、プロデビューしてからも発生します。

## 書きたいことがなくなったら

書きたいことがなくなった場合、とるべき対応策は次の二つです。

一　書くのをあきらめる。デビュー前から、書きたくもないものを書いたら消えます。

二　書きたいことを探す。もう、このままです。書きたいことがなくなったら、次に書きたいことを探せ、ということです。

小説家経営的に言うと、「常に書きたいことを何本もかかえておくこと、書きたいネタを常に補充しておくこと」は必須だと思ってください。「書きたいことがなくなってから次に書きたいものを探す」のでは遅い。そして、作品の出版は、著者が書きたいものと出版社が書かせたいことが合致したときに、初めて成立する。著者が「これしか書けません」と言って出版社が首を横に振ったら、それであなたの作家生命は終わります。

小説家とは、職業ではなく、状態です。小説家とは「小説を書き続けている人」です。

小説家が小説家でなくなる理由は二つ。
書きたいことがなくなって、書かなくなるか、
売れなくなって、どの出版社からも相手にされなくなったか、です。

よく知られているように、小説の世界は、構造的な不況にあります。ぼくがデビューした三十年前から上向きになったことはありません。いま書いている作品の売り上げが悪ければ、どこからも注文が来なくなり、小説家として消えます。ときどき「勝負作！」と銘打たれる作品を目にすることがありますが、はっきり言って毎回が勝負作です。

ぼくは書き手としては器用なほうではありません。「書きたいものを書く」ことをすべてに優先しています。自分の書きたいものが書けるのであれば、それ以外のものはどんなことでも妥協します。

いま書いている作品が作家としての遺作となるかもしれない。書きたくないものを書いて消えるよりも、書きたいものを書いて消えるほうが、小説家として納得できます。

そのために何をするか。常に書きたいものを探し続け、かかえ続けている、ということです。

# 第三章　長編に行き詰まったらどうするか

この章では、「長編に行き詰まったらどうするか」のうちで、主に小説技術的な面の症状と解決法を示してゆきます。

主として「テーマ」「ストーリー」「キャラクター」について示してゆきます。

美術にはデッサン、漫画にはコマ割り、音楽には音楽理論や運指などの基礎的な技術がありますが、小説にも、確立していないだけで、基本的な技術は存在しています。

本章で解説するのは、あくまでも「技術」です。ほかの芸術の基礎的技術と同様、小説にも技術の限界があります。小説の技術とは、「著者が受けた感動を、読者の心のなかで、文字による物語によって再現する方法」です。つまり、「著者が受けた以上の感動を、読者に伝えることはできない」ということです。

技術はしょせん技術です。

感動したことのない人に、他人を感動させることはできません。

小説で感動したことがない人に、読者を小説で感動させることはできません。

これから述べる小説技術よりもはるかに重要なことは、あなた自身が小説で感動することです。

そこらへんのところを踏まえて、小説技術について、みてゆきましょう。

## 1　テーマが思いつかない

小説を書くうえで、テーマはとても重要です。「何が書いてあるのかわからない作品」である理由のひとつに、「読者に何を伝えたいか、著者自身がわかっていない」ということがあります。

何を伝えたいか著者がわかっていないのだから、読者には何も伝わりませんね。

二〇二一年一月に鈴木輝一郎小説講座の受講生に調査したところ、六十六・七％の受講生が「テーマをどうしたらいいかわからない」と回答しました（複数回答）。

これに次ぐ回答は「テーマとは何かわからない」が三十八・五％、「他人の作品を読んでもテーマがわからない」が三十八・五％でした。

つまり、「他人の小説を読んでもテーマがわからない、だからテーマとは何かわからず、その結果、テーマをどうしたらいいかわからない」ということです。

逆に言えば「テーマをどうしたらいいかわからない」事態に対処する方法として、他人の作品を読んで「このテーマは何か」を考える習慣をつければ、テーマを理解できるようになり、そしてテーマが思いつくようになります。

## テーマとは何か

テーマとは何か。まずその説明をしましょう。

テーマとは「作品全体を通して表そうとした考え、思想、観念、主題」のことです。

重要なことは主に左記の四つ。

一　テーマは物語の表面に出ているとは限らないし、書く必要もない。

二　テーマは説教ではない。

三　テーマをもとにして物語全体を決める。
四　テーマは小説を執筆するうえで絶対に必要なもの。

では例題をやってみましょうか。

童話『カチカチ山』を読んで、テーマを書き出してください。

『カチカチ山』は改変されているケースが多いので、物語をおさらいしておきましょうね。

童話『カチカチ山』
昔むかしある日のこと、おじいさんは畑でいたずら好きのタヌキを捕まえました。おじいさんは家に帰り、おばあさんにタヌキ汁をつくってくれるよう頼むと、再び畑に出かけました。
ところがそのすきにタヌキはおばあさんを騙して殺し、ばばあ汁をつくりました。畑仕事から帰ってきたおじいさんは、タヌキに騙され、ばばあ汁を食べてしまいます。そうと知ったおじいさんはおいおいと泣きました。
おじいさんが悲しんでいるとき、おじいさんと仲良くしていたウサギがやってきました。

話を聞いたウサギは「わかりました、ぼくがかわってタヌキを懲らしめましょう」と言いました。

そしてウサギはおばあさんの仇討ちをはじめるのです。タヌキの背負った薪に火をつけて大火傷を負わせ、火傷の傷に唐辛子入りの味噌を塗って懲らしめ、船遊びに誘ってすぐ沈む泥舟に乗せて溺死させ、おばあさんの仇討ちを果たしましたとさ。

さて、『カチカチ山』のテーマがわかりましたか? 正解は「悪を退治する」です。よくある誤答として「仇討ち」があります。しかしよく読んでください。ウサギはタヌキから悪いことはされていませんね。

童話『カチカチ山』のテーマは読み取ることが比較的難しい。鈴木輝一郎小説講座で演習をしたときには、正解率は五十二・六%にとどまりました。

繰り返しますが、テーマは物語の表面に出ているとは限らないし、書く必要もありません。

また、テーマは著者が御高説を垂れるためのものでもありません。テーマを基礎として物語全体の形を整えるものです。

例題『カチカチ山』の場合、「悪を退治する」というテーマですから、「タヌキはどのぐらい悪い奴か」をきちんと書く必要があります。タヌキがおばあさんを殺してばばあ汁をおじいさんに食べさせる話は残酷ですが、そのシーンがあるからこそ、作品全体の物語が決まってきます。

さて、それでは、なぜ「他人の作品を読んでもテーマがわからない」のか。

童話『カチカチ山』の正解率が低かったのには、大きく二つの理由があります。

一　テーマとモチーフ（設定）の違いがわからない。
二　全体のテーマと章ごとのテーマの違いがわからない。

では、順にみてゆきましょう。

## テーマとモチーフ（設定）の違いがわからない

小説でいうモチーフとは「設定」のことです。

物語を書くうえで、中心となる設定が必要です。つまり、「いつの話か（when）」「どこの話か（where）」「誰の話か（who）」「何をする話か（what）」「動機（why）」「どうやって、どこまでか（how）」です。

童話『カチカチ山』の例でみてゆくと、主たるモチーフは次のようになります。

いつの話か　昔むかし（江戸時代以前、平安時代以降）
どこの話か　日本国内
誰の話か　おじいさん、おばあさん、タヌキ、ウサギ
何をする話か　タヌキを懲らしめる
動機　悪を退治する
どこまでやるか　徹底的に

さて「テーマとモチーフ（設定）の違いがわからない」理由について。

この例題の場合、動機「悪を退治する」が、テーマと重複していることが、作品のテーマをわかりにくくしている第一の理由です。

そして第二の理由として「動機を持つ者と行動する者が異なるからわかりにくい」こと

があります。おじいさんにはタヌキを懲らしめる手段がなく、ウサギにはタヌキを懲らしめる動機がありません。

ちなみに、小説を書く際はこのモチーフをもとにして、細分化し、ストーリーをつくってゆきます。

たとえば「いつの話か」の「昔むかし」も、時間ごとに細分化してゆきます。すると「タヌキが畑を荒らしているとき」「おじいさんがタヌキを捕まえたとき」「おばあさんに『このタヌキでタヌキ汁をつくってくれ』と頼んだとき」「タヌキがおばあさんを騙して殺し、ばばあ汁をつくるとき」「おじいさんが畑仕事から戻ってきて、タヌキに騙されてばばあ汁を食べさせられたとき」「おじいさんがタヌキに騙されたことをウサギに訴えたとき」といった、ストーリーのもとになる時間ができてくる、という具合です。

## 全体のテーマと章ごとのテーマの違いがわからない

テーマには「作品全体のテーマ」と、「章ごとのテーマ」の違いがあります。扱うテーマの大きさを把握することが重要です。

例題『カチカチ山』の場合、章は大きく二つに分かれています。それぞれに章のテーマが異なっています。

全体のテーマ　悪を退治する
第一章　タヌキが悪行三昧しまくる章
　章のテーマ　タヌキはこんなに悪い奴だ
第二章　ウサギがタヌキを懲らしめる章
　章のテーマ　タヌキをやっつけろ！

全体のテーマ「悪を退治する」と、二章のテーマ「タヌキをやっつけろ！」が微妙に重複していますね。そこが作品全体のテーマと章ごとのテーマを間違えやすい理由です。二章では「いかにタヌキを懲らしめるか」という内容に絞られています。冷静に考えてみましょう。ウサギはにこにこと友達のふりをしてタヌキに近づき、信頼しきっているタヌキの背中にまわって、タヌキが背負っている柴に、カチカチと火打石で放火しています。いちばんヒドいのはウサギですよね。全体のテーマ「悪を退治する」と、二章のテーマ「タヌキをやっつけろ！」とは、こういう具合に、はっきりと異なります。

また、テーマをもとにして考えると、モチーフやストーリーも異なってきます。

全体のテーマが「悪を退治する」なので、「タヌキの悪の重さ」によって「タヌキを懲らしめる程度」というモチーフが異なってくるのです。

たとえば「タヌキがおばあさんを殺してばばあ汁にし、おじいさんに食べさせる」という悪行を「タヌキがおばあさんを驚かして寝込ませる」程度にマイルドな話にするなら、ウサギの報復も「タヌキを溺死させる」から「タヌキに『ごめんなさい、もうしません』と謝らせる」とマイルドにして、退治のバランスをとります。

全体のテーマを把握することで、モチーフと章のテーマ、ストーリーが決まってくるわけですね。

## どうすればテーマがわかるようになるのか

さて、自分の作品のテーマを把握するためには、まず、他人の作品をみてテーマが把握できるようになる必要があります。

なんだか難しそうですが、あまり気にすることはありません。ほとんどの場合、「テーマが言語化できないだけで、実はテーマは把握できている」

ものです。前述の『カチカチ山』でも、ざっくりしたテーマは理解してたでしょ？　全体のテーマとなると「本当にこんなテーマでいいの？」という心理的なガードがかかっているだけで。

テーマを見つける方法はいくつかあります。少し慣れれば、誰にでもできるようになります。

いちばん簡単な方法は、海外の連続テレビドラマをみて訓練することです。

やり方はシンプルで、海外の連続テレビドラマをみて「今回のテーマはこれ」「シーズンの通しのテーマはこれ」ってノートにメモしてゆくだけ。アメリカの連続テレビドラマだと、作りが単純なのでわかりやすいかな？

海外の（特にアメリカの）連続ドラマは、テーマやモチーフがとてもシステマチックにつくられています。理由は単純で、制作上の費用の問題があるから。テーマに関係ない登場人物やセットを組むわけにゆかない。どの場所で誰がいるかを明確にしないと、セット組みやスタッフやキャストのスケジュールに関係してきますからね。

また、連続ドラマの場合、ストーリーよりもキャラクター優先で進められてゆくこと、モチーフはそのままでシーズンの通しのテーマが変更されること、などがあるので、テーマとモチーフとストーリーの関係を学ぶのには、よい教材になります。

映画を使ってテーマやストーリーの構成を学ぶ方法もありますが、これに関しては「あまり参考にならない（まったくならないわけではない）」というのが実感です。シド・フィールドの三幕構成が有名ではあるものの、長編小説の執筆にはあまり向いていません。映画は作品構造上、短編小説だから、という事情が大きい。三幕構成でつくるのであれば、「全体の大枠」「百枚単位の中枠」「三十枚単位の小枠」「十枚単位のシーン枠」といった階層管理ですすめてゆく形になります。ただし、その場合でも、読んでみると「プロットだけ能率よく読まされる感じ」になるのは避けられない模様です。


次に重要なことは、「テーマを意識して小説を読む」方法です。

これは若干難易度は高い。ただ、本書を読んでいるあなたは、読んでいる作品のテーマを意識して読んだことがありましたか？　「やったことがない」と「できない」を混同しないようにしましょう。いままでやったことがなかったからといって、できないわけではありません。

「テーマを読み取るのが苦手です。感性の問題でしょうか」という疑問を持つ人もいますが、感性の問題ではありません。シンプルに国語の問題です。小説を読んで「面白かった」以上の感想が持てない、そこのあなた。「どの箇所が面白かったのか」「なぜ自分は面白いと思ったのか」をメモしてゆきましょう。

長編小説を読んでいて、「この作品にはテーマがいくつもある」と思ったら、それは間違いだと思ってください。「テーマがいくつもある」ではなく「作品全体のテーマ」と「その章のテーマ」と「そのシーンのテーマ」を混同しているからです。同じ重さのテーマを作品中につくると、散漫な作品になります。また、「テーマとモチーフを混同している」という可能性もあります。

なぜテーマが思いつかないのか。それはテーマが何か、理解できていないからです。テーマとは何か、ひとことで説明するのは難しいのですが、こうして例題を解いてみると、なんとなくわかりますね?

テーマは「作品全体を通して表そうとした考え、思想、観念、主題」のことですが、それにこだわる必要はありません。人間でもいいですし、フレーズでもいい。後述する童話『桃太郎』のテーマは「桃太郎」または「桃から生まれた少年の冒険（ここまで書くとテーマというよりモチーフに近いんですが)」です。

なぜテーマが思いつかないのか。それは整理できていないからです。テーマとモチーフの違いがついていないか、大枠のテーマと各章ごとの小さなテーマの階層関係を整理していないか、のどちらか、あるいは両方です。

いつテーマを決めるか、わからない場合が、けっこうあります。

慣れないとテーマを思いつかないまま書きはじめ、途中で「こういう物語にしよう」ということもよくあると思います。「何も書かずに悩んで一歩も進まない」よりは、「とりあえず書いてあとから考える」ほうがベターな選択です。作品全体のテーマは、把握するためにある程度の訓練が必要なことは、わかりましたね? ただし書き上がったら「自分が何をテーマにしたかったのか」を点検し、メインのストーリーとサイドストーリー、重要なシーンとそうでないもの、重要な人物とそうでないもの、を把握しましょう。削りすぎてテーマに沿ったものしか残らないと味気ない作品になりますが、その加減は個性なので正解はありません。ただし「テーマを考えずに書いた作品」は個性以前の問題です。

書いている最中、「自分が何を書いているのかわからなくなってしまう」ことは、よくあります。そうした場合、まずテーマを自覚しているか疑ってみましょう。もともと自分が書きたかったテーマは何か、とりあえず言語化してみましょう。

テーマに沿ってモチーフが決まり、テーマに沿って登場人物はキャスティングされ、モチーフと登場人物との組み合わせでストーリーができてゆきます。書きながらテーマを忘れてしまうと、すべてが崩れてしまう、ってことです。

重要なので、もう一度繰り返します。

著者が何を書きたいのか把握していなければ、読者には何が書きたかったのか伝わりません。

作品のテーマを、しっかりと把握しましょう。

## 2　ストーリーが思いつかない

あなたの作品を他人が読んで「何が書いてあるのかわからない」状態は、実はきわめて自覚が難しい症状です。主な原因は次の三つ。

第一に、他人が「何が書いてあるのかわからない」と指摘してくれることはないから。

第二に、アマチュアの「何が書いてあるのかわからない」作品を目にしたことがないので、プロとアマとの作品の差が実感できないから。

第三に、著者が知っていることと、著者だけが知っていることと、著者が知らずに書いていることの区別がついていないから。

この節では、この第三の部分を、主にストーリーの面から点検し、自覚し、なおしてゆきましょう。


たぶん、紙の本で本書を読んでいるそこのあなたは、本節から読みはじめていると思います。

小説を書こうという人は、「ストーリーづくりには熱心だが、人間には興味がなく、取材や調べ物などの地道な作業が嫌い」という共通点があります。

先に断言しておきます。

「ストーリーが思いつかないいちばんの理由は、ストーリーの構成やプロットづくりの問題ではなく、キャラクターのつくり込み不足という問題と、取材不足という問題である」

ってことです。

この原因については、基本的には「当初予定していたストーリーから逸脱する」ものとほとんど同じです。

一　キャラクターそのものを考えていないので、キャラクターに何をさせればいいかわからず、ストーリーが動かないので書く前から立ち尽くす。

二　取材などの材料不足で、ストーリーの起承転結がつくりようがなく、書く前に立ち尽くす。

三　モチーフの詰めが甘く、どんなストーリーでも通用してしまうようなモチーフにしてしまったために、ストーリーをつくりようがなくて書く前に立ち尽くす。

基本的にこうした原因は複合的なものです。ストーリー面だけの問題ではないと思ってください。

それはそれとして、とりあえず一作、書き上げた作品があれば、それをもとにして、あなたの作品を点検し、次の作品に活かすことができます。

いずれにせよ、一作も書き上げられずにいるよりは、「たとえ一作でも、埋めただけでも」書いた作品があれば、それを点検することで、次の作品を書くときに活かせます。

では、ストーリー面での点検と反省と改善をやってみましょう。

## 四百文字のあらすじをまとめてみる

小見出しの通り、あなたの作品のあらすじを、四百字にまとめてみましょう。

鈴木輝一郎小説講座の場合、最初に原稿を読むことにしています。本文で「何が書いてあるのかわからない」場合、あらすじに目を通します。あらすじを読んでも「何が書いてあるのかわからない」（これもよくあります）場合、どこに原因があるのかチェックするために、受講生に、セルフチェックリスト（作品のテーマだとかキャッチコピーなどをまとめるものです）と登場人物の履歴書の提出を求めてゆきます。

ストーリー上で「何が書いてあるのかわからない」原因は主に五つ。「誰の話なのかわからない（物語の主人公）」「いつの話なのかわからない（物語の舞台の時間）」「どこの話なのかわからない（物語の舞台の場所）」「なぜそんなことをするのかわからない（物語の動機）」「何がしたいのかわからない（物語の目的）」です。

では、例題として童話『桃太郎』のストーリーをチェックしてみましょう。

童話『桃太郎』

昔むかし、あるところに、おじいさんとおばあさんがいました。

おじいさんは山へ柴刈りに、おばあさんは川へ洗濯に。

ある日、おばあさんが川に洗濯に行くと、大きな桃が、どんぶらこ、どんぶらこと流れてきました。

おばあさんは桃を拾い上げて家まで持ち帰りました。食べようと桃を割ると、なかから大きな男の子が出てきました。桃から生まれたのでこの子を「桃太郎」と名付け、育てることにしました。

やがて大きくなった桃太郎は、鬼ヶ島へ鬼退治に行くことにしました。おじいさんとおばあさんは桃太郎にきび団子を持たせて送り出しました。

桃太郎が鬼ヶ島に行く途中、犬・猿・キジが「家来にしてください」と言ってきたので、きび団子をやることで家来にしました。

桃太郎たちは鬼ヶ島に行って鬼たちを退治し、鬼たちは降参して金銀財宝を差し出しました。桃太郎たちはその宝を故郷に持ち帰り、幸せに暮らしました。めでたしめでたし。

（以上本文三百九十四文字）

さて問題です。

『桃太郎』とは、つまりどういう話なのか、お答えください。

ここで「わかりきったことじゃないか」と笑ったあなたは、「何が書いてあるのかわからない」ことが「わからない」人です。

先に答えを書いておきます。『桃太郎』とは「ストーリーの魅力を読ませる話ではない」です。では、ひとつずつ点検してみましょう。

『桃太郎』は誰の話か。（物語の主人公）

まあ、この答えは明らかです。議論の余地なく「桃太郎についての話」ですね。「誰の話なのかわからない」って言ったら、そちらのほうが問題かもしれません。登場人物全員が、桃太郎にかかわっています。

『桃太郎』はいつの話か。（物語の舞台の時間）

実はこれはけっこう難しい。

昔話だから昔に決まっているじゃないかと言われそうですが、よく読み返してください。作品内の時間が混乱していることがわかりますか？

まず第一。「桃が流れてきて桃太郎が生まれるまで」のシーンは、一日の出来事です。

第二。桃太郎の誕生から「鬼退治に出かけるまで」のシーンまで十数年の時間が経っています。桃太郎は、桃から生まれたときは新生児です。そして鬼退治に出かけられる年齢まで成長していなければなりません。何歳で鬼退治に出かけられるかはわかりませんが、生まれたその日に鬼退治に出発するとは書いてありません。

さらに、鬼ヶ島に向かう路上で犬・猿・キジと出会い、きび団子を報酬にして彼らを雇い入れてゆく時間が不明です。彼らが桃太郎連合をつくり上げるまで、どのぐらいの時間がかかったのでしょうか――って、そもそも書き込んでありません。

第三に、桃太郎が鬼ヶ島を襲撃し、金銀財宝を鬼から略奪して戦利品をおじいさんおばあさんのもとに持ち帰るまで、どのぐらい時間がかかったのか、不明です。

つまり童話『桃太郎』の作品内時間は「ひとことでは示すことができない」、または「大きく三つに分解される」です。

『桃太郎』はどこの話か。（物語の舞台の場所）

これも、ひとことでまとめるのは難しい。

童話『桃太郎』の舞台は、物語作成の面で考えると、大きく三つに分けられます。戯曲などでは「幕」と呼ばれるものですね。小説では「章」となります。

第一章は桃太郎が生まれるシーン。ここは、おじいさんとおばあさんが生活している場所です。里の山、おばあさんが洗濯している川、おじいさんとおばあさんの住んでいる家、が舞台となっていることは、明確に描かれています。

第二章は桃太郎が鬼ヶ島に向かうシーンです。ここでは、わからないことがいくつかあります。どうも路上らしいのですが、どの道路の上で、犬や猿やキジが、桃太郎に「お腰につけたきび団子、ひとつ私にくださいな」と言っているのか、示されていない。だから、読者にはシーンが画像として浮かばない、ということです。

第三章は桃太郎が鬼ヶ島を襲撃するシーンです。もちろん物語の舞台の場所は明らかです。ただし「桃太郎は鬼ヶ島で『どうやって』鬼たちを退治したのか不明」なので、絵本などではちゃちゃちゃっとお茶を濁してあるのが普通です。ガキ一人と犬・猿・キジに襲われて悲鳴をあげて金銀財宝を差し出すような弱っちい鬼ならば、桃太郎の成長を待たずして、とっくの昔に村人たちに襲撃されて身ぐるみ剝がされ、鬼ヶ島から追放されていたでしょう。つまり、童話『桃太郎』の物語の舞台の場所は「わかるのは桃太郎誕生のシーンだけで、あとはよくわからない」または「(昔むかし)あるところ」です。

『桃太郎』の登場人物たちは、なぜそんな行動をとるのか。(物語の動機)

これが童話『桃太郎』のなかで最も難しい問題です。

第一章の桃太郎が生まれるシーンは、登場人物の行動の動機が比較的わかりやすいかな?

このシーンでは桃太郎は生まれていないので、桃太郎には動機はありません。おばあさんが川で拾った大きな桃を「うちに持ち帰っておじいさんと食べよう」と思った動機は「おじいさんと『そこそこ』仲がいいから」です。

このシーンで最も重要な行動は「桃太郎が生まれたことを、おじいさんとおばあさんが、喜ぶ」です。この老夫婦が「喜ぶ」という行動をとった動機は、二人の間に子供がいなかったからですね。

第二章の、桃太郎が鬼ヶ島に向かうシーンでの登場人物の動機は、もっと不可解です。おじいさんとおばあさんに大切に育てられた桃太郎は、なぜある日突然、鬼ヶ島に鬼退治に行こうと思い立ったのでしょうか。

おじいさんとおばあさんは、桃太郎が「鬼退治に行く」と言ったとき、きび団子を持たせるほど支援しました。彼らはなぜ桃太郎が鬼退治に行くことを支援したのでしょうか。犬・猿・キジは、なぜ桃太郎に従ったのでしょうか。童謡『桃太郎』では、犬や猿やキジが桃太郎の腰につけたきび団子をほしがり、対価として桃太郎は彼らに鬼退治についてくることを求め、桃太郎と犬・猿・キジの業務契約は、いちおう、締結されてはいますが。

第三章の、桃太郎が鬼ヶ島を襲撃するシーンでは、桃太郎が鬼ヶ島を襲撃する動機が、「退治」から「金銀財宝を略奪して持ち帰る」にかわっています。

つまり童話『桃太郎』のなかで、行動の動機が明らかなのは、第一章の桃太郎誕生のシーンのおじいさんとおばあさんの喜びっぷりだけで、あとは「よくわからない」または「かなり動機に無理がある」です。

『桃太郎』は、つまり何がしたかったのか。（物語の目的）

メインになる物語は何で、その物語はどこに向かっているのか。これは童話『桃太郎』ではとても難しい問題です。

そもそも、第一章と第二章と第三章のストーリーは、それぞれ「物語の目的」が違います。

第一章は「おじいさんとおばあさんを（桃太郎が生まれることで）喜ばせる」のが物語の目的です。

第二章は、桃太郎が鬼ヶ島に向かう途上で、犬・猿・キジがお供になるという、プロセスそのものが物語の目的です。これはロードノベルと呼ばれるものですね。

第三章は、桃太郎が鬼ヶ島を襲撃して鬼を降伏させ、金銀財宝の略奪に成功することが物語の目的です。

あらためて問題を繰り返し出します。

桃太郎とは、つまりどういう話なのか、お答えください。

答えは――

「桃太郎についての話」。前節でいう「テーマ」です。

ストーリーは「桃太郎について語る」ために存在しているのであって、ストーリーを読ませるための物語ではないということです。

なぜ『桃太郎』が「何が書いてあるのかわからない」状態になっていないかというと、「大きな桃がどんぶらこどんぶらこと流れてきました」というシーンにすべてが結集されて、あとのことは捨てられているからです。

ストーリーを読ませたいのか、テーマを読ませたいのか、それ以外に「これだ」というシーンを読ませたいのか。

そこを把握しておかないと、「何が書いてあるのかわからない」状態になるわけです。

## 書き上げた自分の作品を点検してみよう

「まったく長編を書いたことがない」人にくらべると、「一作書いて、書けなくなった人」は有利です。つまり「どこでつまずいたのか」を、過去の作品から点検できるからです。過去の作品をチェックすることで、いま、なぜストーリーが思いつかないのか、わかるからです。

では、あなたの作品のあらすじをチェックしながら、あなたの作品のストーリーをみてゆきましょう。

## 誰の話なのかわからない（物語の主人公）

結論を先に書くと「視点者を意識しよう」「誰の視点から書くか、考えてみよう」ということです。

自分の作品をチェックするとき「誰の話なのかわからない」とは、とても自覚しにくい症状です。確実に言えることは「視点者が多いと、読者には『つまり著者が誰の話をしたいのか』伝わらない」と思ってください。

人称と視点者の区別がつかないケースがけっこうあるので、確認しましょう。

人称とは「ある動作の主体が話し手・聞き手・第三者のいずれであるかの区別をいい、それぞれ第一人称・第二人称・第三人称と呼ぶ」（『日本国語大辞典』）という、文法の用語です。

視点者とは小説技法用語で「誰の目から書いたものか」というものです。まだ日本語として定着していない模様で、手元の辞書類には見出しとしては立てられていません。いずれ定着するでしょう。もとは推理小説の技法で、佐野洋さんが一九七〇年代以降、『推理日記』で厳しく指摘しておられて、視点者の概念が知られるようになりました。推理小説の場合、「誰の目からみたか」はミステリーの謎と謎解きのフェア・アンフェアにかかわり、作品全体の質に直接かかわってくる問題だから、ですね。

視点者を意識して書くと、読者からは「誰の目からみた光景が描かれたか、はっきりわかる。そのため、飛躍的に読みやすくなる」という利点があり、一般文芸でも意識されるようになりました。

前述の『桃太郎』は、「三人称・一視点」だということがわかりますか？　ここでけっこうつまずきます。

第一章の、桃太郎が生まれるところまでのシーンの視点者は「おばあさん」、第二章から第三章の、桃太郎が成人して鬼退治に出かけるところから帰還するまでの視点者は「桃太郎」。それぞれのシーンで視点者を絞ってあります。

間違えやすいので繰り返します。桃太郎の誕生の章の視点者は「おばあさん」です。川から桃が流れるのをみつけ、桃を拾い上げて持ち帰ることを決断し、家で桃を割ったのは、すべて「おばあさん」です。

「『おじいさんは山へ柴刈り』はどうなるのか」といった異論を出す人が必ずいるのです

が、そのフレーズは「おばあさんの視点からみたおじいさんの日常」です。

おばあさんは、おじいさんと平凡な日常を送ってきた。それが「おばあさんは川で洗濯に」です。おばあさんの視点に絞り込んで考えるから「川から大きな桃が流れてくる」のは非日常だとわかるわけですね。

ストーリーで何も思いつかないとき、「誰の視点で書こうとしているのか、考えてみよう」ということです。

「誰の話なのかわからない」から派生する症状として「視点者が多い」というものがあります。

結論を先に書くと「ストーリーが思いつかない場合、視点者を一人に絞ると、物語の謎がつくりやすい」ということです。

童話『桃太郎』の場合、「桃太郎が生まれるまでは、おばあさんの一視点」「桃太郎が生まれてからは桃太郎の一視点」に揃えてあります。それでも視点者を二人にしたことで、『桃太郎』のテーマが把握しにくくなっていますね。

前述の『カチカチ山』では、タヌキが「ばばあ汁」をつくっておじいさんに食べさせるまでは「タヌキの視点」、タヌキが逃げ出したあと、失意のおじいさんがウサギに事情を明かしてタヌキに報復するまでは「ウサギの視点」です。全編を通してタヌキが登場するにもかかわらず、視点者がかわることが、「ウサギがタヌキに復讐する」とテーマを誤読しやすい理由のひとつになっています。

では、あなたの作品を見直してみましょう。視点者は何人いますか？　視点者の人数はわりと数えやすいと思います。

視点者が複数だった場合、「視点者が多すぎる」ということを、まず疑ってください。視点者が多くなる原因は「取材不足で書くことがなくなり、視点者をかえることでとりあえず埋める」「登場人物のつくり込み不足で、作品内の事件に対して登場人物がどう対応するかわからなくなり、とりあえず視点者をかえて埋める」というものがほとんどです。「取材不足で書くことがなくなる」「登場人物のつくり込み不足」というのは、きわめて自覚が難しい症例です。これは別項目で詳しく解説します。

ときどきネットなどで「神の視点」という言葉をみかけます。ですが、断言しましょう。「神の視点」というものはありません。「視点者が多く、いきあたりばったりで視点者を二転三転させすぎていて、誰の視点なのか著者自身も把握できなくなった状態」が、「神の視点」と呼ばれるものの正体です。

視点者を多くすることによる最も大きな問題は、「視点者を増やすとストーリー上の謎がなくなる」ことです。

なぜ視点者を意識することが必要か。それは「視点者が知らないことが作品の謎になるから」です。

童話『桃太郎』の第一章では、おばあさんの視点で描かれています。おばあさんにとっての謎は「拾った桃の中身がわからない」「子供がいないまま、おじいさんと二人だけで朽ち果ててゆく老後の人生の先行き」の二つです。

ここに、「桃のなかで待機している桃太郎」の視点と「おじいさんとおばあさんに、桃を通して子供と鬼ヶ島の財宝を与えようとしている何者か」の視点を加えてしまうと、しっちゃかめっちゃかになってしまうのが、わかりますか。

ということで繰り返します。ストーリーが思いつかない場合、視点者を一人に絞ってみましょう。

## メインになる人物が多すぎる

「誰の話かわからない」の原因のひとつです。ただしこれは比較的自覚しやすいかも。あらすじを書いたらプリントアウトして、赤ペンで人数をチェックしてゆきます。けっこう誤解しやすいのですが、「登場人物についてまったく考えていない」と「登場人物がやたらに多い」は、同じ水平線上にあります。つまり、「登場人物についてまったく考えていないので長編を埋められず、とりあえず違う人物を登場させてなんとか埋める」というものです。「書いてゆくにつれて、最初に予定していなかった人物が突然登場する」ということがあった場合、間違いなく「登場人物についてまったく考えていない」です。

メインになる人物が多すぎるかどうかの目安としては、「登場人物の履歴書をつくってみる」というものがあります。履歴書の内容がまったく書けないか、履歴書の数がやたらに多いかの両極端に分かれますね。

メインになる人物が多いとは言っても、「何人が適切か」という基準はありません。むしろ「それぞれの人物がどういう役割を割り振られているか自覚する」ことで、ストーリーの冗長さや散漫さを避けることができます。
基本的に必要なのは二人（二つのカテゴリー）です。
一　視点者（主人公）
ミステリーの場合だと探偵や刑事の側の人です。
二　ストーリーの目的の役（敵役のときもある）
ミステリーの場合、ストーリーは「犯人を捕まえる」という目的があるので、この場合、犯人の側の人ですね。このほかに、
三　被害者（主人公に助けられる役）
をつける場合もあります。

童話『桃太郎』の登場人物は全部で七人。全三章を通じて、すべてに同じ役割をこなす人物は「いません」。『桃太郎』のストーリーを複雑にしている理由がそこにあります。
第一章の主人公は「おばあさん」です。「おばあさん」が「桃太郎をみつける」のが第一章のメインストーリーなので、ストーリーの目的となる役は「桃太郎」です。ちなみに「おじいさん」は物語のうえでは「おばあさんに子供がいないこと」「おばあさんは平和で

平凡な暮らしをしていること」を解説するためだけに存在しているので、カットすることができます。「昔むかし、あるところに、子供のいないおばあさんが、平和に暮らしていました」と書き換えると、おじいさんは不要になることがわかりますか。

第二章の主人公は「桃太郎」です。第二章は「鬼退治に行くためにお供を雇う」のがストーリーの目的なので、「犬・猿・キジ」が全員、同じ役割です。なぜこの三匹なのか諸説ありますが、「諸説ある」のはつまり「どんな動物でもよかった」ってことでもあります。「猿・豚・カッパ」にすると『西遊記』になっちゃいますが。

第三章の主人公も「桃太郎」です。第三章のストーリーの目的は「鬼ヶ島の鬼を退治して、その金銀財宝を差し出させる」です。なのでストーリーの目的となる役は「鬼ヶ島の鬼（何人いるかは不明）」です。第三章ではストーリーのうえでは「犬・猿・キジ」というお供の存在は、なくても成立します。

主人公である桃太郎は、第一章と第二・三章とでは役割が違うことがわかりますね？また、桃太郎以外の登場人物「おじいさん・おばあさん」と「犬・猿・キジ」と「鬼ヶ島の鬼」との間には、何の因果関係もありません。

童話『カチカチ山』の登場人物は四人ですが、「極悪人・タヌキ」「被害者・おじいさんとおばあさん」「タヌキを退治する人・ウサギ」という役割は全編を通じて同じで、それぞれの役割に密接な関係があります。

つまり童話『桃太郎』は『カチカチ山』にくらべて登場人物が多すぎ、そのためにストーリーの全体が把握しにくくなっている、ということです。

さて、あらためてあなたの作品のあらすじと登場人物をチェックしてみましょう。

メインになっている登場人物の、主人公は誰で、彼が目的とする人物は誰でしょうか。

## いつの話なのかわからない（物語の舞台の時間）

これも「何が書いてあるのかわからない」場合の原因のひとつです。少し手間をかけてチェックをすれば、自覚しやすい症状です。

あらすじをみながら、作品全体の日程表・時間表をつくってみましょう。昔はカードを使ったりリフィルの方眼紙を使ったりしてけっこう大仕事でしたが、いまはエクセルで簡単につくれます。「エクセル　年表」で検索をかけると、おおまかなつくり方がわかります。

作品内の時間軸をチェックするためのものなので、「年」「月」「日」「時間」でセルをつくってゆき、時間軸ごとに発生した事件やアクション、場所がどこで、誰がそこにいるのかを記入してゆきます。

「シーンの時間を把握していない」ということは、実はよくあります。ファンタジーを書く場合、「場所が架空だから時間も決めなくていい」と考えているケースはけっこうあります。しかし、物語の舞台の時間は重要です。南半球は北半球と季節が反対です。オーストラリアやブラジルでは、真夏にサンタクロースがあの暑苦しい格好でソリに乗ってやってきます。異世界を舞台にするとき、一日は二十四時間ですか？　一年は何日ですか？　シーンの時間を設定しておかないと、そのシーンの光景が異なってくるのが、わかるでしょうか。

シーンが、時系列順に並んでいますか？　並んでいない場合には、読者にわかるように工夫していますか？

フラッシュバック（「カットバック」ともいう。シーンが途中で過去のものになること）は映像の世界で多用される手法です。ただし、映画やテレビなどの映像の場合、セットや登場人物の衣装、メイクなどを、同時に、かつ並行して視聴者に提示することによって、一瞬で「シーンの時間がさかのぼった」とわかるように工夫されています。

小説の場合、「特にことわりがなければ、シーンの時間は、ストーリーとともに進む」という暗黙のルールがあります。シーンの時間がさかのぼる場合は、特に注意が必要です。

作品内でどの程度、時間が流れているか、意識することは重要です。作品内に流れる時間が長いほど、著者が伝えたいことが広がる。田中芳樹『銀河英雄伝説』のように全十巻のボリュームがあれば、かなり多くの視点者と作品内時間をつくり込むことができるのですが、新人賞の応募作品は、長くても四百字詰め原稿用紙換算で五百枚程度です。

童話『桃太郎』の場合、第一章の「桃太郎が生まれるシーン」と第二章の「桃太郎が鬼退治を決意して出発するシーン」との間に数年（もしくは十数年）の空白の時間があることが、わかりますか？

また、童話『カチカチ山』の場合、第一章の「タヌキがおばあさんを殺してばばあ汁をつくるシーン」から第二章の「ウサギがタヌキを泥舟に乗せて溺殺するシーン」まで、ほぼ空白がなく、せいぜい数日間の出来事だと、わかりますか？

そして『桃太郎』と『カチカチ山』では、どちらがより「著者の伝えたいこと」が明確に伝わるか、前述の通りです。

あたえられた作品の分量が少ないほど、作品内時間を絞り込むことが必要です。

逆に言うと「つまり次の作品では、作品内時間はどこからどこまでのことを書きたいのか?」をチェックすることで、次の作品の話ができあがってくる場合もあるわけです。

## どこの話なのかわからない（物語の舞台の場所）

ファンタジー小説や、現代日本ではない作品を書いている場合、「読者にはどこの話かわからない」と思ってください。あなたが書こうとしている世界は、あなた以外の人は知りません。あらすじをチェックしたとき、どの程度「どこの話なのか」を把握していましたか?　要するに、舞台がどこなのかをイメージしていないと、話が広がらない、ってことです。

同じ「冬」でも、沖縄の冬と北海道の冬は違います。「去年まではTシャツ一枚で過ごせたけどさすがに今年はファンヒーターをいれた冬」と、「素手で金属にふれると凍りついて離れなくなる寒さ」との違いがわかりますか。

かつて日本の夏は高温多湿でした。気温三十度・湿度九十％というのがザラでしたが、そんな夏はもはや二十年前のものです。拙宅のある岐阜県大垣市は気温三十六度・湿度四十％——どころか、アスファルトの照り返しのあるところでは気温四十度を超えるのも珍しくない。多湿なんてことはまったくない。タオルをほせばあっという間にカラカラに乾く。扇風機をまわしても単なる首振りへアドライヤーにしかならなくて余計に暑い。

紙と鉛筆を持って童話『桃太郎』の、おじいさんとおばあさんの住んでいる家とそのまわりの風景をちゃちゃっと描いてみましょう。けっこう簡単に描けるのではないでしょうか。「山へ柴刈りに、川へ洗濯に」とあるので、山と川が近くにあることは、すぐにわかりますね。「柴刈り」とは山林に落ちている雑木の小枝などを、拾い集めて売り払う職業のことです。つまり、この二人の住まいは「柴を買い取ってくれる里が近い場所」だということもわかります。

では同じ要領で、第二章の「桃太郎が鬼退治を決意して犬・猿・キジをお供にするシーン」と第三章の「鬼ヶ島で鬼を退治するシーン」を、それぞれ絵にしてみましょう。

第二章の場合、まあ、路上だろうということは推察できるので、道路を描き、それから桃太郎と犬・猿・キジを描いたところで止まるのではありませんか？　それ以上のことがイメージできますか？「桃太郎たちがいるのは路上」以上の情報が示されていないので、我々にはイメージできませんね。

第三章でよくあるのは、鬼ヶ島で鬼が桃太郎に降伏し、金銀財宝を差し出している絵だろうと思います。では、それ以上のことが描けますか？　その場所に、桃太郎と犬・猿・キジ、そして鬼（そもそも鬼が何匹いるか描くのが難しいと思いますが）のほかに、何が描けますか？　屋外？　屋内？　これもまた「鬼ヶ島」以上の情報が示されていないので、イメージできませんね。

実は『カチカチ山』ではそうした現象は起きにくい。たとえば「背中に背負った柴に火打石で点火されても気づかない」という情報によって、「タヌキは山のように柴を背負っている」という情報を感じ取り、さらに「つまりけっこう山奥で起こっている」という情報を行間から読み取ることができるから、です。『カチカチ山』でそれぞれのシーンを描いてみるといいでしょう。どのシーンもかなり鮮明にイメージができるはずです。

童話『桃太郎』の著者（厳密には「著者」とはちょっと違うんですが）が第二章&第三

章をろくすっぽ考えていないということが、これでわかるでしょうか。

現代日本の小学校・中学校・高校・大学を舞台にした場合、この「どこの話なのかわからない」現象が発生しても、自覚できないケースはとても多い。たとえば高校を舞台にする場合、自分が高校生だったときの高校を舞台にしていないか、注意することは必要です。受験生を主人公にしているとき、年号の暗記で「いい国つくろう鎌倉幕府」ってやらせていないでしょうか？　小学生の主人公が田舎のおばあちゃんの家に行ったときに、遊ぶものがなくて土蔵のなかでゼンマイのおもちゃで遊んでませんか？　いまどきネットが接続されていない田舎はありません。そもそも最近の子供は田んぼで凧揚げなんてやってない——というか、田舎で子供は外で遊んでませんな。ここらへん、とてもよくみかける間違いのケースです。

前節の「いつの話なのかわからない」ともつながりますが、時間と場所は、けっこう密接な関係があります。あなたの作品の舞台は「いつの」「どこの」話なのかを、あわせてみてゆきましょう。

そしてこの場合もまた、「つまり次の作品では、どういう場所を舞台にしたいのか？」をチェックすることで、行き詰まっている次の作品の光景が浮かびあがります。

## なぜそんなことをするのかわからない（物語の動機）

自分の作品のあらすじをチェックしたとき、「なぜそんなことをするのかわからない」「物語の動機がわからない」のは、最も自覚しにくい症状ではなかろうかと思います。

なぜ自覚しにくいかというと、第一に「物語の動機がなくても、小説の形になってしまうから」ということ、第二に「物語の動機は、ストーリーだけではなく、登場人物の行動に複雑にかかわるから」ということがあります。

「物語の動機がなくても、小説の形になってしまうから」の典型例が、ある種のミステリーです。トリックやプロットで読者を楽しませるタイプの作品においては、「殺人事件」というワードは「前提条件を示す必要がなく、解決の目標が読者に明らかに提示されるもの」です。この場合、登場人物が記号になっても構いません。

ミステリーの場合、かつて木々高太郎・甲賀三郎・江戸川乱歩が「探偵小説は文学か否か」論争をした時代がありました。松本清張があらわれて「推理小説の犯人の動機に社会問題を盛り込む」ことを定着させるまで、推理小説では動機がなくてもとりあえずなんとかなっていた。

だから、あなたの作品に物語の動機がなくても、そう悲観することぁありません。ただし「物語の動機がないものを書いた」という自覚は必要です。

次の「物語の動機は、ストーリーだけではなく、登場人物の行動に複雑にかかわるから」は、ちょっとわかりにくいですね。

童話『桃太郎』の第一章でおじいさんとおばあさんの目の前に大きな桃をもたらしたのが誰なのかは不明ですが（著者がもたらしたんですが）、このとき、「物語の動機」つまり「なぜ、おじいさんとおばあさんに桃太郎をもたらしたか」というと、「平凡で平和な子供のいない生活をしていたので、おじいさんとおばあさんにとって、最も驚くことは、子供が与えられたこと」です。第一章は「物語の動機」が明確なのがわかりますか。

ところが、第二章・第三章になると、物語の動機は不鮮明になってゆきます。「桃太郎が鬼ヶ島へ鬼退治に行って金銀財宝をぶんどって帰ってくる」という「物語の目的」は明確です。ですが、「なぜ」桃太郎は鬼ヶ島に行くのでしょうか。この動機の部分が不鮮明なので、たいていの『桃太郎』の物語は、深く掘り下げず、かなりすっとばして終わります。

童話『桃太郎』が「つまり著者は何を言いたいのか」ということが伝わりにくい、大きな原因が、この「作品の動機がわかりにくい」ということです。

童話『カチカチ山』の場合、物語の動機はきわめて明快です。「悪を退治する」です。物語の動機がシンプルなので、著者の意図は伝わりやすくなっています。

物語が思いつかないとき、「なぜこの物語が起こるのか」という「物語の動機」を意識してみることも、ひとつの方法です。

**何がしたいのかわからない（物語の目的）**

ストーリーとは、登場人物が達成すべき物語の目的に向かって進むことです。

あらすじをチェックしてみて、最も自覚が難しいのが、この「何がしたいのかわからない（物語の目的）」ではないでしょうか。

鈴木輝一郎小説講座の受講生の原稿を読んで何が書いてあるのかわからないのは普通にありますが、あらすじを読んでもわからないことも、とてもよくあります。著者に「何が書いてあるのか、わからない」と評価すると憤慨する事案は多いのですが、作品講評で「つまりどういう話なの?」とたずねると、説明できないケースはとてもよくあります。

物語の目的とは、「つまり誰が何をする話か」というものです。テーマとごっちゃになりやすいのですが、テーマとは異なります。

自覚する方法のひとつとして、「誰が(who)何をする(what)話か」を、一センテンスにまとめてみることがあります。

物語の目的の場合、「誰が」は登場人物です。

テーマの場合、「誰が」は、視点者または著者です。

映画『砂の器』の「物語の目的」は「刑事が殺人犯を逮捕すること」ですが、「テーマ」は「(著者または視点者が)ハンセン病患者への不当な差別を怒る」ですね。

童話『カチカチ山』はテーマと物語の目的が微妙に重なっていてまぎらわしいのですが、テーマは「悪を退治する」で、物語の目的は「ウサギが悪を懲らしめる話」です。「悪を懲らしめろ」と思っているのは、視点者または読者である、あなたです。　実際に作品中でタヌキを懲らしめるのはウサギですね。

あらすじを組んでみても「物語の目的がわからない」のは、きわめて自覚しにくい。矛盾しているようですが、「ストーリーがぐちゃぐちゃになっているのを確かめるのには、ストーリーをみていてもわからない」ことは断言できます。

この場合、面倒でも、「登場人物の履歴書づくり」「登場人物の背景の取材のチェック」「テーマを書き出す」ことをやってみましょう。

登場人物を事前にしっかりつくっていない場合、登場人物に何をさせたいのかを把握できていないので、ストーリーを二転三転させて埋める、ということがよくあります。

物語の背景の取材が不十分な場合、登場人物がどんなことができるかを把握しておらず、その結果登場人物に何をさせたいのか把握できていないので、ストーリーを二転三転させて埋める、ということがよくあります。

自分がこの作品で何を伝えたいか、テーマを書き出すことができない場合、登場人物に何をさせたいのかを把握できていないので、ストーリーを二転三転させて埋める、ということがよくあります。

ちなみにストーリーを当初予定していたものから変化させたとき、登場人物が当初予定したものではそぐわなくなって登場人物の性格や設定を途中から変更し、ストーリーと登場人物が変化してしまったのでテーマも途中からそぐわなくなって変更する、という事例もまた、とてもよくあります。

ここで立ち止まって少し考えましょう。ストーリーもテーマも登場人物のすべても、当初予定していたものとかえた作品は、「つまり何が書いてあるのかわからない」ということです。

ミステリーの場合、「ストーリーが次々と二転三転して息をもつがせぬ展開」を目指したものの、つまり何が起こっているのかよくわからなくなるのはけっこうあります。この場合、「メインになる大きな謎と、大きな謎を解くための小さな謎」の区別がついていますか?

あらすじを書いたとき、二、三行ごとに似たような事件がやたら出ていませんか? ストーリーにもまた、階層関係があります。「数百枚の作品全体をささえるテーマ」「章単位で伝えたいテーマ」「節単位で伝えたいテーマ」があるように、ストーリーにも「数百枚の作品全体をささえるストーリー」「章単位のストーリー」「節単位のストーリー」があります。

繰り返します。

実はストーリーそのもので行き詰まることは、あまりない。

「ストーリーで行き詰まった」と感じたら、まず、テーマの自覚不足か、登場人物のつくり込み不足か、取材不足を疑いましょう。

書くことがなければ書けない。

何が書きたいか把握していなければ、何が書いてあるのかわからない。

伝えたいことがなければ何も伝わらない。

とても、シンプルなことです。

## 3　登場人物が思いつかない

この「登場人物が思いつかない」が最も自覚しにくいものだろうと思います。「思いつかないのはストーリーであって、キャラクターのことじゃない」と感じているケースがほとんどではないでしょうか。

小説家志望者の多くは、他人にも人間にも興味がありません。Twitterで小説についてつぶやいた場合、ストーリーの構成の話や着想についての話をするとよくリツイートされるのに、登場人物のキャラクターづくりについての話をしても、無視されるのが普通です。

ストーリーの枠組みをかっちりつくってあり、大きな謎と小さな謎を把握して小刻みにページをめくらせる技術は、デビューしてから身につければいい、というのが、多くの受講生をデビューさせてきた者の実感です。

「ストーリーの枠をきっちりつくっておけば、少ない取材と低いモチベーションでも、とりあえず最低限の水準は維持できる」というのは事実です。

ただしこの技術は両刃の剣のようなもので、

「どこにも欠点はないようにみえるのに面白くない作品をつくる技術」

になりかねない。

新人賞で予選だけ通るけどその先になかなか進めない人や、何度も最終選考に残っていながら受賞に至らない人は、こうした「ストーリー最優先の罠」にけっこう陥っています。

では、どうやれば「登場人物が思いつかない」状態を自覚できるか。

幸い、いま、あなたの手元には「とりあえず埋めた原稿」があるはずです。その原稿の登場人物の履歴書をつくって点検してみるのが、いちばん手っ取り早いので、やってゆきましょう。

## 自分の作品の登場人物の「JIS履歴書」をつくってみる

二章と若干重複しますが、重要なところなので、我慢して目を通してください。

詳しいつくり方は拙著『何がなんでも新人賞獲らせます!』『何がなんでもミステリー作家になりたい!』に詳述してあるのでそちらをご覧ください。

とりあえずJIS規格の履歴書を入手してください。コンビニで買ってきてもいいですし、ネットで「JIS履歴書」をダウンロードしたものでも構いません。「どの登場人物の履歴書をつくるか」で迷うかもしれません。ただ、「登場人物を把握しているかどうかを確認するために、執筆後につくる」場合は、「把握している人物と、把握していない人物」の違いをチェックする必要があるので、「全員のものをつくる」ようにしてください。

実のところ、「登場人物の履歴書が書けるかどうか」がプロとアマとの決定的な違いです。プロの場合、登場人物の履歴書を書くことはほとんどありません。「書かなくても、無意識のうちにできているのが当たり前」なのが普通のプロの小説家です。

さて、あなたの原稿はどうだったでしょうか。たぶん履歴書のそれぞれの欄が空白になっていただろうと思います。

どの欄がどういう具合に空白で、なぜ空欄になっているのか、点検してゆきましょう。

## 日付が埋められない

履歴書の最初に「○年○月現在」の欄があります。ここには作品の物語開始時点での日付を記入します。ここが空白の人は滅多にみかけません。この欄が埋められない作品のことを「支離滅裂」といいます。

ファンタジーや異世界を書く人でここに著者本人しか理解できない年号を書く場合がけっこうあります。

「一年が三百六十五日」という地域はごく限られています。日本では明治時代以前、一年間は三百五十日が基本でしたね。また、西暦もユリウス暦とグレゴリオ暦があります。あなたがファンタジーや異世界を書く場合、一年は何日で、季節はどうなっているでしょうか。

月日や暦の概念がなぜ必要か？

第一に、作品内の登場人物の時間軸がぐちゃぐちゃにならないようにするためです。

第二に、作品内の季節の描写に困るからです。登場人物が作品に登場した季節はいつでしょうか？　摂氏四十度近い体温超えの真夏に、甲冑で身を固めていたら、敵と戦う前に歩くだけで倒れます。

## 氏名が埋められない

登場人物の履歴書で唯一「絶対に埋められる項目」が、この「氏名」欄です。受講生の書いた登場人物履歴書をチェックしてきましたが、「氏名」の欄が空欄になっているものをみたことがありません。

長編小説の場合、登場人物の氏名はさほどこだわる必要はありません。「玉袋筋太郎」とか「辛酸なめ子」とかいった強烈な名前でも、長編小説ならば、キャラクターを読者になじんでもらうだけの尺が十分あります。短編小説の場合だと、名前の示すイメージに引きずられたまま作品が終わってしまうことがよくあるので、注意が必要ですが。

いちおう、同姓同名の人物が実在しないかどうか、確認はしましょう。登場人物の氏名を検索窓にほうりこめば一瞬でわかります。

あと、命名には流行があります。「○○○○年生まれ　名前」で検索をかけると、その世代の名前の流行を知ることができます。一九六〇年を境にして男子の名前に「浩」の文字が急増しますが、これは今上天皇が生まれたときの「浩宮」の影響ですね。

## 年齢が埋められない

これも比較的空欄が少ない項目です。小説を書く場合には、まず主人公の名前と年齢を決めることからはじめるからでしょう。

ただし、空欄が少ない割に、最も作品に反映されない項目でもあります。「ディテールに行き詰まったら年齢から洗いなおせ」ということはあります。「登場人物の履歴が何も思い浮かばない」場合、「生年月日」の読み込みが不足していることが考えられます。

登場人物の生活環境は、生年（何年生まれ、ということです）から起算してゆきます。登場人物の生活環境を押さえておくことで、人物のメンタリティをつくり、世代間の共通認識をつくります。世代が異なれば、共通認識が異なります。登場人物ごとに共通認識が違えば、それが対立と葛藤を生み、ストーリーができてきます。

たとえば二〇二一年の時点で六一歳であれば、一九六〇年生まれです。先日、どこかのニュースで「高度成長期をささえた六十歳」なんて阿呆なものが流れてきましたが、高度成長をささえたのは昭和ヒトケタの世代。一九六〇年生まれは「高度成長期を目の当たりにした世代」です。もちろん戦争なんて知りません。

アイドルは山口百恵や桜田淳子で、『ちびまる子ちゃん』の舞台より五年ぐらい上。高校生のときにテーブル型のコンピューターゲーム『スペースインベーダー』が社会現象となりました。バブルのちょっと前に就職したので、バブル世代の能天気ぶりを苦々しくみています。

日用品としてのワープロやパソコンに触れた最初の世代で、電器店で「インターネットください」と言う客を現実にみた世代でもあります。

二十代からみると六十代も七十代も八十代も全員「お年寄り」でひとくくりにしてしまいますが、それではみえるものもみえなくなります。

二〇二一年の時点の六十代からみると七十代はいわゆる「団塊の世代」で、「いつも何かと戦っている世代」です。新入社員時代には団塊の世代は上司で、さんざん嫌がらせされた記憶が強い。八十代は昭和ヒトケタ世代で、文字通り「高度成長期をささえてきた世代」ではあるんですが、「働いたら働いたぶんだけ収入が増えた世代」だけに、「若い世代の収入の低さ」が理解できない。この三世代に同じ場面で組ませるだけで、物語に対立と葛藤が生まれることがわかるでしょうか。

「登場人物の年齢だけを若くして、環境の違いに気づかない」ことは、とてもよくあるケースです。

四十代の著者が「自分の若かった頃の苦悩を書こう」とする場合、「主人公は大学生」で「舞台は二〇二〇年代」にもかかわらず、「著者が大学生だった二十歳の頃の環境そのまま」という事例は、とてもよくみかけます。二〇〇〇年から二〇二〇年までの二十年間で、デジタルまわりは激変しています。

重要なのは、環境の変化ではありません。環境の変化に気づかないということは、つまり作品背景が描けないことだからです。大学生の主人公が、学校をサボって寝転がってみているものが、アジビラかテレビかパソコンかスマホかで、時代の違いが出るのが、わかりますか。

「これだと、学校を舞台にした場合、登場人物の年齢が同じだから、世代間の葛藤が生まれないじゃないか」と考えた、そこのあなた。あなたの言う通りです。

青春物語を描く場合、登場人物の世代間ギャップはありません（教師や親との対立や葛藤を扱う場合は別ですが）。だから、青春物語をつくる場合には、世代間ギャップ以外の対立軸を考えることが大切です。

ちなみに義務教育で公立学校を舞台にする場合には、葛藤や対立の素材を登場人物の家庭環境や本人の学力の差からとってゆきますが、私立小学校や私立の中高一貫校にすると、家庭の経済状況や本人の学力が似通ってきて、学力や家庭の経済状況の部分で葛藤や対立をつくるのが難しくはなります。

## 現住所が埋められない

ここは埋められないことが多い欄です。番地やマンションの号まで埋めましたか？なぜ住所欄が埋められないのか？　それは、あなたがその登場人物の収入と金銭管理能力と生活哲学を把握していないからです。

登場人物の住所を決めることで固まってくるのは「家賃」「場所」の二つです。

住所がわからなければ、家賃を決めることができない。つまり、その登場人物の収入を把握できません。「収入」は主人公の行動と動機を決める重要な要素です。

例をあげましょうね。

主人公を探偵にしたとしましょう。その探偵事務所はどこにありますか。ここまでは答えられたとしても、事務所の家賃は月にいくらでしょうか。なぜ探偵事務所の家賃を把握するのが必要なのか？　家賃を払うためには、主人公の探偵はどんな仕事をどのぐらいすべきかを把握しなければならないからです。

浮気調査が主体なのか、企業調査なのか、保険調査なのか。弁護士と連携して安定した収入があるのか、それとも飛び込みの調査ばかりを受けているのか。

主人公の収入の状態によって「いやいやながらも報酬の高さにつられて仕方なくする仕事」「ほとんどタダ同然でも面白そうだからやる仕事」などが決まってくるのが、わかるでしょうか。

その主人公が住所をどこにするかによって、その主人公の性格や考え方が確定します。同じ家賃でも、利便性をとるのか居住性を優先するのかで、その主人公の仕事に対する姿勢が決まってきます。

駆け出しの芸能人であれば、なんたら県のかんたら村でのびのび暮らすよりも、シェアハウスであっても渋谷や南青山などの、テレビ局や事務所からオファーがきやすい、交通の便のいいところを選ぶでしょう。

小説家であれば、対面取材はほとんどないので、どこに住んでも困りません。ただし、大量の書籍に囲まれることになるので、書庫のスペースが十分とれるところを選んだりします。後述するように、登場人物に小説家を出しちゃいけませんが。

マンションやアパートの階数は、危機管理と関係してきます。アパートやマンションの一階は、家賃が安いかわりに空き巣に狙われやすい。にもかかわらず一階を選ぶのは、その人物の危機管理意識が低いと考えられます。危機管理意識が低い理由として、「あぶない目に遭ったことがない」「あぶない目に遭いすぎて空き巣ぐらいでは驚かない」「空き巣に狙われるものは何もない」「あぶないと思っているが、家賃と場所から考えて、ここで手を打たなきゃしょうがない」などがあります。同じ「一階のアパートを選んで住む」というだけで、その性格や人生経験に、ずいぶんと違いがあることがわかるでしょうか。

また、住所と家賃を決めることによって、登場人物の可処分所得が決まってきます。つまり、「その人物が収入のなかで最も優先しているものは何か」が決まります。

「神田の四畳半一間のアパートに住みつつ屋根つきの駐車場にベンツ」とか、「六本木のタワーマンションに一人住まいで家具なし・冷蔵庫に舌を嚙むような名前のウン万円の赤ワイン一本とカビが生えたチーズがヒトカケラ」とか書くと、それだけでどんな人物なのか、なんとなく目に浮かびませんか？

別の言い方をすると、「住所欄が埋められない」とは「その登場人物が、何を優先させて生活しているのか、著者が把握していない」です。

自分の生活を思い浮かべてみましょう。あなたは、何を優先させて生活していますか？

## 写真が埋められない

この「登場人物の写真を貼る欄を埋められない」ケースはきわめて多い。

なぜ埋められないか。あなたがその登場人物のイメージを、十分把握しないまま作品を書きはじめ、イメージがつかめないまま書き上げたからです。

しつこいようですが、大切なことなので何度でもいいます。

著者がイメージしていない登場人物を、読者がイメージできるわけがありません。

写真欄に何を貼るか。

「この人物を演じるとしたら、この俳優・この女優がふさわしい」と妄想した配役を貼ります。脚本の世界で「当て書き」と呼ばれる手法の応用です。

俳優はキャラクターづくりのプロフェッショナルです。プロから学びましょう。

小説のキャスティングが脚本と大きく異なるのは、ギャラやスケジュールや事務所のしがらみなどを一切考慮しなくていいことです。また、時間や空間の制約がないので、物故している俳優や海外の俳優、アニメのキャラクターでもオッケーです。そして自分だけのメモで完全非公開のものなので著作権の制約もありません。

作品によってキャラクターを演じ分ける俳優の場合、「○○という作品に出ていたときの△△」でも構いません。同じロバート・デ・ニーロでも『タクシードライバー』と『ゴッドファーザー』と『マイ・インターン』ではまるで違う人物ですよね。

監督の要求に沿った人物像をつくり上げてゆくタイプの俳優もいれば、俳優自身がつくり上げたキャラクターに沿って物語をつくってゆくタイプ（高倉健とか、ジョン・ウェインのように「どの映画でも同じタイプの役」って俳優がこれですね）の俳優もいます。

いずれの俳優にせよ、作品ごとに役づくりをしています。俳優の役づくりについては、俳優のインタビュー類にこまめに目を通すと、とても参考になります。

また、俳優が役づくりをする際には、メイクやスタイリストなどによって総合的につくられます。俳優が画面に映ったとき、その場面の季節や場所、その役の年齢、性格、趣味や嗜好、ライフスタイルなどが一瞬でわかるように、工夫が凝らされています。衣装やメイクのインタビューがされることは滅多にないので、もしみかけることがあれば、欠かさずチェックすることをお勧めします。

「自分の作品にふさわしい俳優がいないから貼れない」と反論してくる受講生も多い。ですがその場合、「みつからない」のではなく「キャラクターが固まっていないからイメージできない」です。古今東西、無数の物語がつくられ、無数のキャラクターが存在しています。

ぼくやあなたのような平凡な人間が考えつくキャラクターは、必ず過去に生み出されています。

小説は映画や舞台のような総合芸術ではありません。基本的には一人でほとんどすべてのことをやるものです。

「小説の書き方」というと、すぐに脚本術を読みたがる小説家志望者が後を絶たないのですが、小説家の仕事は、脚本だけではなく、監督兼カメラ兼メイク兼衣装兼照明兼音声であることを、けっこうな割合で忘れています。

そして何より、小説家は、脚本だけではなく、俳優でもあることを忘れずに。登場人物をどう演じるか、考えるのは、あなた自身でもあります。

## 学歴が埋められない

ＪＩＳの履歴書では学歴と職歴が一緒になっていますが、論旨が違うので別項目で解説しましょう。

この「学歴が埋められない」のは、きわめて多い——というか「埋められる人のほうが少ない」です。

とてもよくあるのが「○年小学校卒業、○年中学校卒業」としか書いておらず、具体的な学校名を書いていないケースです。

なぜ学歴欄が埋められないのか？

それは登場人物の人格形成の時期と生育歴について、漠然としか考えていないか、まったく考えていないからです。

学歴は、本人の学力や基礎教養を示すとともに、育った家庭環境や価値観、健康状態などを示しています。どんな生育歴を経てその作品に登場しているか著者が把握していなければ、物語内で起こった事件・出来事に対してその登場人物がどう反応するか、つくることはできません。

小学校の欄では、どこの小学校なのかを明記します。

主人公を鈴木輝一郎にした場合、「大垣市立東小学校」という具合です。小学校の学歴は、幼少期の家庭状況と健康状態を示します。小学校の学歴に、本人の意志はほとんど入る余地がないからです。

小学校の欄が空白の場合、その登場人物の幼少期の家庭状況と健康状態について、考えていない、といえます。

主人公を小学生以下にした場合、両親の履歴書も作成するのは必須です。学歴欄をみれば明らかなように、小学生の主人公の人格を決めるのは、両親だからです。両親が死亡して祖父母に育てられた場合、両親と祖父母の履歴書をつくることになります。

主人公が都市圏に住んでいた場合、小学校は「公立にするか私立にするか」という選択肢があります。

私立の小学校を主人公の両親が選んだ場合、それは本人の学力ではなく、両親が「こういう子供に育ってほしい」という教育方針を持っていること、そしてその教育方針を満たすだけの経済的余力があることを示しています。経済的余力がない場合には、「そこまで経済的に無理をしてでも通わせたい事情」が、両親にあります。

都道府県立・市区町村立・組合立といった公立小学校は、教育内容に関しては地域差がほとんどありません。ただし家庭の経済状況や本人の学力に大きな差があります。どの程度の差があるかは時代によって異なります。ぼくが小学生だった一九六〇年代には、すでに「給食費が払えないほど困窮している子供」は珍しい部類に属していました。

小学生の場合、学力不足で留年することはありません。病気療養で出席日数が不足した場合にやり直すこと（原級留置）はあります。

たとえば「病弱な小学生」を描くときも、具体的に何日ぐらい欠席し、原級留置をするかどうか（保護者や教師が）悩み、学力の遅れをどう取り戻すか、といったことを明確にすると、その小学生と家庭と学校の苦悩が明確に描けるようになります。

歴史小説や時代小説の場合、初等教育をどこで誰から何を学んだかをつくってあるかをチェックしましょう。

江戸時代の町民は寺子屋で読み書きを学んだのは有名な話ですね。戦国時代の国主クラスになると家庭教師がつきます。『信長公記』を開くと、織田信長が天王坊で読み書きを学んだ記録が残っていますね。

家臣クラスになると、子息を主君に「人質」として預けます。主君はその子息たちを小姓として預かり、行儀見習いなどをさせています。今川義元に預けられた徳川家康、織田信長に預けられた森蘭丸、などがこれですね。

「それでは、初等教育を学ぶ機会のなかった豊臣秀吉は、どうやって読み書きを覚えたのか」という疑問があります。記録は残っていません。ただ、極貧の生活をしていた秀吉が独学で読み書きを覚えたことや、そこから屈折した幼少時代を形成していったことを推測・理解しておくと、キャラクターづくりをするうえで、人物に深みが出てきます。

資料が残っていないケースがとても多いのですが、その場合には「いつ、どこで、誰から、何を学んだか」を、前後の時代から類推してつくることは重要です。

ファンタジーをつくる場合も同様、初等教育をどこで受けたか、チェックすることが重要です。ここが空白な場合「どこの言葉で読み書き考えているのか」さえ著者が把握していないことになります。

たとえば『ハリー・ポッター』の場合、主人公のハリーは十一歳まで、ロンドン郊外の伯母の家庭で育てられました。つまりハリーは「イギリス英語ならばひと通り読み書きできる」「四則計算と分数計算ぐらいまでは可能。ただし三角関数や微積分の知識はない」「シェークスピアは知識としてだいたい理解している」「倫理観はプロテスタントのキリスト教」という基礎教養を持っているわけですね。

中学校の場合も、基本的な考え方は小学校と同じです。

登場人物の中学校が中高一貫の学校の場合は、家庭環境に加え、本人の学力や校風といったものも加味されてゆきます。――つまり、中学校の欄が空白または単に「中学校卒業」としか書けないときには、本人の学力などを考慮していない、といえます。

主人公が中学生の場合、小学生と決定的に異なるのは「刑事罰を問われるかどうか」にあります。主人公が十三歳だと万引きをしても窃盗罪は成立しない。十三歳だと殺人や放火などの重罪を犯した場合、警察は「捜査」ではなく「触法調査」をします。ここらへんの話は少年法がからんできて、とても複雑です、念のため。

また、不登校は中学校に入ってから急増します。

文部科学省発行の統計資料『児童生徒の問題行動・不登校等生徒指導上の諸課題に関する調査結果』（「不登校のどこが問題なんだ？」と強く感じますがそれはさておき）をチェックすると、小学六年次と中学一年次とでは、倍以上の差があります。実際に不登校するかどうかではなく、「中学校は生活が急変する場」「そのなかで主人公は作品に登場するまでの間、どういう方法で生き抜いてきたか」などという事項が、主人公の言動に色濃く反映されることになります。

高校の欄が空白の場合、「主人公の学力や能力、意志、行動について、著者は考えていない・漠然としかつくっていない」ことが考えられます。

登場人物の履歴書の「○○高等学校○○科入学」の一行の背景には、とても多くの情報が集約されています。

令和二年度の段階で高校の進学率は九十八・八％で、基本的には「ほぼ義務教育水準」で高校に進学します。高校に進学しないのはきわめてレアケースです。もし登場人物が高校へ進学しないのであれば、特段の理由や事情をつくる必要があります。

進学する高校の選択では、本人の志向と学力が大きく関係します。

登場人物は、なぜその高校を選んだのでしょうか。

高校選びは、その登場人物が、たぶん人生最初の最大の決断です。もちろん「本人は決断せず、親に言われるがまま高校を選ぶ」のも、本人の決断の一種です。

偏差値で機械的に「ほかに行くところがないから」なのか、「中高一貫校だからそのまま上がった」なのか。あるいは明確なビジョンがあって選んだのか。

「親に褒めてもらいたいから無理やりランクを上げて受験したら合格した」という場合と「中学校でスクールカーストの最下層にいたので、リセットするために遠方の学校にした」場合とでは、それぞれ高校に入学したあとの学校生活にずいぶん差がつくだろうと想像がつきますね？

高校で何を学んだか、把握していましたか？　高校時代に学んだことは（大人になって忘れてしまったことも含め）、基礎教養にプラスアルファされた教養――すなわち、その人の個性となる知識を形づくっています。

高校の専攻は何でしたか？　工業高校と商業高校と普通科では、カリキュラムが異なります。

得意な科目は何で、どのぐらい得意だったのか。あるいはどのぐらいひどかったか。

普通科の場合、全国模試があります。偏差値によって自分の学力が全国のなかでどのぐらいの学力なのか、把握することができます。――ぼくは全国模試で偏差値七をとったことがあります。このときの素点は三十点でした。担任の教師からは「素点が零点でも偏差値七をとることは難しい。全国模試という分母が大きい試験で、平均点がむちゃくちゃ高くないと一桁の偏差値にはならん。ある意味、お前は凄い」と、わけのわからない褒め方をされました。「高校の数学の授業をほとんど寝て過ごした」と書くよりも、「進学校だったのに全国模試で偏差値が七」と書いたほうが、より高校での授業態度が明確に伝わるのが、わかるでしょうか。

高校では、どんな部活動をしていたでしょうか。

どの程度うちこみ、それがその後の人生にどんな影響を与えたのでしょうか。同じ「部活動に熱中」でも、「市内大会で上位」と「インターハイで一、二を争う」では、就職や進学に影響してくるのがわかりますか。

登場人物の高校時代が「帰宅部」である場合、なぜ帰宅部を選んだのか。「部活動の上下関係がめんどくさいから嫌」という消去法なのか、スポーツクラブでの学外活動で忙しいのかで、本人のキャラクターがかなり異なります。とても大切なことですが、この選択は「登場人物の意志で選択した」事柄です。

高校在学時の成績と卒業・進学した大学のランクとを複合的にみることで、どんな高校生活を送ったかを、つくることができます。

同じＭＡＲＣＨに合格したとしても、灘や開成などの名門校からＭＡＲＣＨに進学する場合と、「自分の名前が漢字で書ければ合格する」Ｆランクの高校からＭＡＲＣＨに進学する場合とでは、高校のなかでのランクがかなり異なることがわかるでしょうか。

高校でアルバイトをはじめた場合、何を、どこで、何のためにやり、いくらぐらい稼いだのか、つくっておきましょう。

ぼくが高校生の時代——五十年近く前は、高校生のアルバイトは校則で禁止されているケースがほとんどで、よほど家庭が経済的に困窮していないと、バイトをすることはありませんでした。

いまでは町でも高校生のアルバイトをちょいちょいみかけるようになりました。「高校生　アルバイト　理由」で検索をかけるといろんな調査が出てきます。アルバイト経験のある高校生が全体の三割近くいる、とか、修学旅行や大学の入学資金を蓄えるため、とかいった調査結果をみると、時代の差を痛感します。

高校時から出てくるシステムに「謹慎」「停学」「退学」があります。……尾崎豊を思い出すなあ。ググってみたら、ぼくより五歳年下でびっくりしますな。

波瀾万丈な青春時代を描く場合、「どの程度の波瀾万丈なのか」を把握しておく必要があります。

同じ校則違反でも、合法なものと、場合によって合法なものと、違法なものがあります。

まあ、我々の時代はトイレでこっそりタバコを吸うのは当たり前で「先生に隠れて吸うのが先生へのエチケット」みたいなところがありましたな。これは校風の差があります。高校生ぐらいから飲酒するのは珍しくはありません。ただし飲酒と大麻との間には大きな違いがあります。大麻は販売そのものが違法で、コンビニでは売っていません。いつ、どこで、誰から買ったのか、なぜ酒ではなく大麻なのか。

高校時代にこれらの懲戒処分をまったく受けずに卒業した登場人物を「悪の限りをつくした人物」にするのもオッケーですが、その場合には「規則を逸脱しない青春時代を過ごした」という生育歴を、著者が把握することが必要です。

高校には「中退」という選択肢があります。

登場人物が自分の判断で中途退学する場合、いつまで学校に通い、いつ、なぜ、中途退学を決意したのでしょうか。「中途退学」の四文字の背景には、大きな決断があります。

もちろん、現実には「なんとなく」「理由はわからないが朝起きられなくて」といった理由から高校をやめることは少なくない。また、本人も自分の状態を言葉で表現するのが難しいことはありえます。

ただし、小説の場合、登場人物本人が自分の気持ちを把握できなくとも、著者は把握する必要はあります。理由はシンプルで、著者が読者に登場人物の心理を伝えなければならないからです。「登場人物がわからないのだから、著者にもわからないから書かない」というケースはちょいちょいみかけるんですが、登場人物と著者は、イコールではありません。

また、登場人物が高校を中退したとして、その人物が成人の場合、中退したあと何をしたかを把握しておくことも重要です。引きこもっていたのでしょうか。それとも何かしらの心を癒やすために静養していたのでしょうか。男友達と盗んだバイクで夜の町を駆け抜けたのでしょうか。

中退したあと、高卒認定試験を受けて高卒資格を取得しようとするケースもあります。高卒認定試験を受けた場合にはいつ受けたのか、何を、どこで、どうやって勉強したのか。なぜ高卒認定試験を受けようと思ったのか、といったことを把握しておきましょう。

高校を卒業または中退したあとの履歴が記入できましたか？

高校卒業後の進路は、登場人物の意志と能力が大きくかかわります。ここが埋められない場合、登場人物が人生の岐路に立ったとき（つまりあなたの作品内で何かしらの事件に遭遇したとき）、「何を優先するか」「どう判断するか」「そのときに何ができるか」を著者が把握していないことを意味しています。

長編を書けずストーリーの展開に行き詰まる最も大きな原因のひとつが、まさにここです。


あなたの書いた作品の登場人物は、高校を卒業したあと、どんな進路を選びましたか？大学の進学率はおおむね五十％を上回り、専門学校への進学は二十五％程度。あなたの登場人物が高校を卒業するとき（実際には高校在学中におおまかな進路を決めていたでしょうが）どんな進路を、なぜ選んだのでしょうか。


あなたの書いた登場人物が専門学校を選んだ場合、なぜ選び、どこの学校を選んだのでしょうか。

専門学校は実に多種多様なものがあります。

資格取得のために専門学校を選んだ場合、どんな資格を選び、なぜその資格を選んだのでしょうか。医療や介護、土木建築、といった日常生活に不可欠なものを選ぶ場合と、理容・美容・料理といった日常生活を豊かにするものを選ぶ場合とでは、登場人物の選択基準がずいぶん異なるのがわかるでしょうか。

あなたの書いた登場人物が大学進学を選んだ場合、なぜその大学にしたのでしょうか。大学進学の場合、浪人という選択肢があります。高校の卒業年次と大学の入学年次が異なることで履歴書に反映されますね。どの大学を志望したのか、なぜ浪人することを選んだのか。浪人した結果、志望校に合格したのでしょうか。それとも「ここらへんで手を打とう」として心ならずも入った大学なのでしょうか。

ぼくは日本大学に入学・卒業しましたが、かなりの割合で浪人――しかも二浪組がいました。六大学からMARCHあたりを狙ったものの力及ばず、「三浪するよりは日大のほうがまし」って判断があったんだろう、などといまにして思います。そこらへん、日本大学というのはなかなか絶妙なポジションでしたな。四十年前の話だけど。

何年か前、東京大学の入学式の祝辞で上野千鶴子名誉教授が「がんばってもそれが公正に報われない社会が待っています」とスピーチしたのが話題になりました。

ぼくとしては「社会では努力が報われないことなんぞ、幼稚園のときに学ぶもんだろ」って感想をもちました。逆に考えると「努力が必ず報われてきたから東大に入れた」または「東大生は十八にもなって『努力が報われない』ことが理解できない」または「結果が出せないのは、すべて本人の努力不足としか理解できない」ということを、ここから推理することができます。

大学は何学部で、何を学んだ（もしくは学ぼうとした）のでしょうか。進学した学部や学科、専攻をきちんと書き込んでゆきましょう。

医学部や歯学部ならその登場人物の将来設計は明らかですね。そして自分の将来設計について、実現するだけの学力と授業料を払えるだけの家庭環境にあることがわかります。

十代なかばでも将来の展望がなく、特にやりたいことや人生の目標や将来設計のない登場人物を描くのは、けっこう難しい。ドラマのない人生をドラマチックに伝えることはできません。ただし「この人物は十代なかばまで漫然と生きていた」ことを把握するのは重要です。「漫然と生きているとはどういうことか」を把握しておくと「漫然とではない生き方」が理解できるからです。
小説の場合、ドラマチックにするために「何かに夢中になる人物」を描くことが多いのですが、「やりたいことは別にない」「将来の目標は特に決めていないのでとりあえず大学に行く」ことは普通にあります。我々の時代（四十年前です）、そういう連中は経済学部か法学部を選び、あとは偏差値で入れる大学に入りました。要するに「とりあえず卒業すれば比較的ツブシがきく学部」ってことです。

ただし、登場人物に大学を選ばせるとき、時代の変化は知っておく必要はあります。四十年前の経済学部は「やりたいことがないのでとりあえず大学に行こう」組の定番の学部でした。いまの経済学には数学の知識が必要です。微分方程式や、行列、指数関数、対数関数などの知識が、金融、証券、金利を知るうえで不可欠になっています。何を言っているのか、わからなくても構いません。ぼくもわからずに書いています。何を伝えていか理解せずに伝えようとしても何も伝わらないのは、まさにこのことです（そこは胸を張るところじゃない）。ぼくらの時代には、まだマルクス経済学のコマがありましたからね。ケインズやガルブレイスをやるのがやっとこさっとこで、数学らしいものといえば統計学をちょこっとやった程度でした。行動経済学なんて存在してなかった。
いま「将来何になるか決めていないとき、将来就職しやすい学部は」なんて調べると、商学部や経営学部はあいかわらず出てきます。社会学部が出てくるのは、少し驚きますね。我々の時代、社会学は「雑学」の扱いでした。四十年の時代の流れは大きい。

大学のサークル活動は何をやっていたでしょうか。なぜそのサークルを選んだのでしょうか。どの程度熱中し、どんな結果を残し、それがその後の人生にどんな影響を及ぼしたでしょうか。

ぼくは日本大学合唱団にいました。それまでコーラスの経験はまったくありませんでした。なぜそんなところに入ろうと思ったかというと、シンプルに「男女の混声合唱団だから、入部すれば彼女ができるだろう。楽器はできないけど、歌なら簡単そう」という、軽薄でいい加減な動機でした。

もちろん彼女なんてできるわけがありませんでしたが、おおむねサークル内の一学年に一組ぐらいの割合で結婚しているので、人生に与える影響としては、意外に大きなものです。

## 職歴が埋められない

職歴欄の話をする前に、重要なことを言っておきましょう。

「小説の新人賞の応募作品には、小説家を登場させてはいけない」です。

応募先の編集部は、小説家の生活について、あなたよりもはるかに詳しい。何歳でデビューして何年目で、何冊出していると、出版社からどんな扱いを受けるか。放っといてもがんがん書く人や催促しないと書かない人か（というか、「出版社から催促してもらえる」作家は、そこそこ売れてなきゃならんのですが）、などなど、細かいところを把握している。

つまり小説の新人賞に応募する作品に小説家を出すと、小説家の描き方で、著者の（つまりあなたの）取材力が応募先に丸わかりになってしまう。

もっと露骨に申し上げると、

「作品に小説家を出すと、下手さがバレる」

ってことです。下手は恥じゃない。下手を隠そうとしない愚かさが恥です。

さて、職歴欄。

登場人物が会社づとめの経験がある場合。

ここには入社年と会社名と所属、職種を書きます。

職歴は登場人物のキャラクターを決定づける要素で、ここが完全に空白のケースは珍しい。ただし「とりあえず埋めたものの、どういう人物なのか、著者自身がよくわかっていない」ことが普通です。

ちょいちょい受講生から「『普通の』サラリーマンを調べたいのですが、どこを調べたらいいのかわからない」と質問を受けます。この場合、「君のイメージしているサラリーマンの、会社の規模は何で、職種は何で、役職は何？」とたずねかえすと、そこで立ち止まります。「毎月、自動的に給料が振り込まれる仕事」以上のイメージがないので、調べようがなく、書くことがないから何も書けず、ドラマもないわけですね。

断言しますが、世界のどこにも「普通の」サラリーマンはいません。「似たような仕事をしている人が多い」職種があるだけです。

職歴欄はひとつの部署につき一行しか書きませんが、そこには多くの情報が盛り込まれています。

登場人物がその会社に入ることで、人物の行動や日常が決まる要素はいくつもあります。主なものとして「収入」「一日の拘束時間」「仕事で得られる経験」「コミュニケーション能力・対人スキルの程度」「仕事にともなう行動範囲」などです。

あなたの作品の登場人物が、所属や職種などが空白だった場合、これらの要素について、あなたは考えていなかったことになります。一日の拘束時間——自分で自由に使える時間を考えていなければ、登場人物の行動できる時間が設定できず、それにともなうハードルやドラマが生まれませんね？

会社員だった場合、会社の規模はどのぐらいでしょうか。会社は一定規模以上になると、仕事そのものよりも社内の政治力がモノをいうケースがけっこうあります。社風はどうでしょうか。何人ぐらいいる会社で、業種は何でしょうか。

職種は何でしょうか。接客や小売の現場でしょうか。営業職の場合、ルート営業と営業管理、開拓営業は、それぞれやることがかなり異なります。経理や人事、総務といった内勤と、工場などの製造ではずいぶん異なります。経理と営業では、性格もけっこう違うものですしね。

主人公が自営業の場合。

自営業は、前述の会社員の要素に加え、本人の意志と能力が大きく働きます。その仕事についた年と屋号を書きます。業種を書きましょう。また、廃業した場合には廃業の年を記入します。

自営業の場合、固有名詞だけでは把握できない要素があるので、別紙にメモをしておきましょう。主にメモしておくべきなのは「業種」「事業所の場所（支店や工場がある場合はその場所）」「年商」「利益率」「従業員数」「資金調達――開業資金の調達方法、運転資金の調達方法」「仕入先」「取引先」などです。

ここが空欄の場合、あなたは登場人物の、経営にともなう苦悩や従業員の取り扱いに難儀する様子を、まったく把握せずに書いていたことになります。

たとえば主人公がラーメン屋を経営していたとしましょう。飲食業は開業五年で九割が廃業する、生存が過酷な業種です。つまり「十年やってるラーメン屋」は「かなり凄いラーメン屋」だという認識がまず必要です。その認識をしたうえで、「主人公がやっているラーメン屋が凄い理由」を考えます。つまり「店の立地がいいから」「うまいから」「安いから」「ランチがメインで客回転が早いから」「晩飯がメインで毎晩晩酌するために立ち寄っても居心地がいいから」といった、いろんなビジネスモデルが考えられます。そして、それぞれどのビジネスモデルを選ぶかによって、主人公の考え方や性格が異なるのが、わかるでしょうか。

登場人物を個人事業主にする場合。

基本的には個人事業主の場合、書くべきことは自営業とほぼ同じです。

ただし、個人事業主においては、その人の特技や技能によるものが大きい。

ここが空欄の場合、開業できるまでの水準の技能・特技を、いつ、どこで身につけたのか、把握していない可能性があります。

個人事業主の場合、フロー型ビジネスなのか、ストック型ビジネスなのか、考えているでしょうか。登場人物自身が考えていなくとも、著者は把握している必要はあります。

フロー型ビジネス（one-time-fee business model）とは、オーダーが発生する都度、商品を販売したりサービスや業務を提供するものです。開業医、飲食業、YouTuber、ライター、フリーランスの芸能人、ミュージシャン（教えるほうではなく演奏するほう）などがあります。収益が安定しないデメリットがある反面、爆発的な収益が得られる可能性があります。業種によっては、きわめて低い開業資金で開業できるものもあります。

ストック型ビジネス（subscription business model）とは、継続的・定額的に商品を販売したりサービスや業務を提供するものです。顧問税理士、顧問弁護士、宅配弁当業、音楽教師、空手教室、などがあります。売り上げが継続しているので安定した収益が見込めるメリットがある一方、一定の売り上げがあがるまでどうやって食いつないでゆくかという問題、そして固定客となった顧客をどうやって繋ぎとめるかという問題が、あります。

こうして両者をならべると、登場人物のメンタリティにかなり違いがあるのがわかりますか？

「イッパツ当ててビッグになるぜ！」タイプなのか「コツコツ当てて地道に手堅く！」タイプなのか。もちろん、年齢や立場によって変化もしてゆきます。プロボクサーとしてスポットライトを浴びることと、引退してボクサーを育成することと、ボクシングジムを経営してゆくことの、それぞれに必要とされる素養が大きく違うのがわかりますか？

イッパツ当ててファイトマネーを稼ぐ（日本の場合、ボクシングのファイトマネーで食うのは、かなり難しいのですが）のは典型的なフロー型ビジネスです。けれど、ボクシングジムの経営をささえるのは、プロボクサーを目指す人ではなく、毎月ジムに通って汗を流して気分良く帰ってゆく会員さんたち。彼ら・彼女らにボクシングを楽しんでもらうのは、闘魂を育てるのとはまったく異なる経営手腕が問われるのが、わかるでしょうか。

職歴欄は、異動で部署がかわったり、昇進したり、転職したりしたら、その都度記入してゆきます。

ちょいちょい「職を転々と」で済ませるケースをみかけます。しかし、ひとつの職業につくことにともない、登場人物の環境要素は大きく異なります。なぜ転職をしたのか、いつ転職をしたのか、転職をする先の判断基準は何か、把握することが大切ですね。

また、登場人物に逮捕歴や前科・前歴・服役経験（この違いを理解しておきましょう）がある場合、通常の履歴書には記載しませんが、登場人物の履歴書には書いておきましょう。

逮捕歴がある場合、いつ、どんな容疑で逮捕されたかを書いておきましょう。

また、起訴されたのか、不起訴なのか、把握しましょう。日本の検察（検察と警察の違いを理解していますか?)は、起訴すると有罪率は九十九・九%を超えます。逆の言い方をすれば、「逮捕されただけでは、簡単には起訴されない」ともいえます。

初犯なのか、累犯なのか、通常にくらべて重いのか、軽いのか。なぜ重いのか、あるいはなぜ軽い判決だったのか。いまは「量刑相場　○○(犯罪の種類)」と検索すると、刑事弁護士事務所のホームページでおおまかな量刑相場が出てきます。

そして、出所したあと、登場人物は、あなたの作品にあらわれるまで、どんな職につき、または何をしていたのでしょうか。

「周囲に前科がある人がいないので想像がつかない」場合、フィクションで構いません。二〇二一年現在、日本の治安はきわめて良好で、刑法犯の検挙件数は総数で三十万件に届かない。おおむね山口県下関市の人口程度です。あなたの周囲に下関市出身の方はどのぐらいいますか?　——まあ、これは地域差があるでしょうが、全国的にみたらどうかってたとえ話ですから。

窃盗犯(小売業の人は万引に頭を悩まされていますよね)と交通事犯を除くと、日常生活のうちで刑法犯と接する機会はほぼ皆無です。窃盗に次いで多い覚醒剤事犯でも、接する機会はないでしょう。

なので、フィクションで構いません。ただし、山口県下関市出身の人を書く程度に（下関の人、ごめんなさい）、調べられる程度のことは調べておく必要があります。

## 免許・資格・特技が埋められない

ＪＩＳの履歴書では「免許・資格」と「特技」欄は別になっていますが、一緒に解説してゆきましょう。

「免許・資格」は試験や講習を受けて取得するものです。「免許」は「一般には許されない特定の行為を特定の者が行えるようにする」もの、「資格」は「あることを行うことに必要な条件」のことです。

「特技」は本来、「ほかの者にくらべて上手で自信のある技芸・技術・能力」のことですが、小説の登場人物履歴書に記す場合には「第三者的・客観的に公式記録として確認できる技能」を書いてゆきます。

いずれも試験や講習、表彰、免状などによって取得します。「いつ取得したか」「どこで取得したか」「どの程度の難易度のものを取得したか」「誰によって許認可されたか」を記入してゆきます。

「免許・資格」「特技」の欄を埋めることで何がわかるか。

それは所持している技能の習熟度や、その人の知識の種類と程度、生活の余力や関心の程度などがわかります。

逆に言うと、この欄が埋められない場合、あなたの書いた主人公には、どんな種類の専門知識や専門技能があるのか、どの程度の技能があるか、そして何のためにその知識を得たのか、わからずにあなたは書いていたわけです。

「免許」は「その行為を無免許で行うと違法になるもの」です。「免状」と呼ぶ場合もあります。医師免許や歯科医師免許などがあります。ぼくの手元にある消防設備士乙種六類のものは「免状」になっていますね。

最も代表的な免許としては、「普通自動車第一種運転免許」があります。内閣府の交通安全白書によれば、普通自動車の運転免許証を保有しているのはおよそ八千二百万人。十六歳以上の人口に対する保有割合は七十五％近くです。このレベルの保有率の場合、「運転免許証を持っていない」ことのほうに理由が必要です。

「資格」は「ある行為をすることに必要な条件」を示すもので、代表的な国家資格としては、「危険物取扱者」「宅地建物取引士」などがあります。

「危険物取扱者」は、その名の通り、危険物を取り扱う資格です。ガソリンや灯油などを販売することに必須の資格です。「免許」じゃないのは、「危険物取扱者が立ち会っていれば、無資格者でも危険物が取り扱えるから」です。

司法試験に合格して司法修習を終えると、弁護士か検察官か裁判官になる「法曹資格」が得られます。弁護士として仕事をする場合、資格を取得したあと、弁護士会に入会することが法律で定められています。

「資格」には業務用のものだけではなく、「技能の程度を示す指標」というものもあります。

代表的なものとして、英語のリスニングと読解力を示す「ＴＯＥＩＣ」があります。九百九十点を満点として、スコアによって英語力がはかられます。主催者発表によると年間の受験者数は二百四十一万人。これは年間の運転免許証受験者数に匹敵し、宅地建物取引士の受験者数の十倍近い、巨大資格です。こちらも「受験した経験がない」ケースに理由が必要です。登場人物が若い世代（といっても、二〇〇〇年には受験者が百万人を突破しているので、一九八〇年代生まれ以降ぐらい）の場合、どの程度の英語力があるのか、スコアで把握しておくのが、より具体的です。ちなみに一九六〇年生まれのぼくの場合、「ＴＯＥＩＣ」は普及していなかったので、ぼくは受験した経験はありません。

「資格」というより「特技」に近いものですが、やはり「技能の程度を示す指標」として、級位や段位があります。

級位・段位は江戸時代に囲碁の本因坊によって発明されました。小刻みに目標設定をすることによって、モチベーションの維持に成功しました。この級位・段位制度は爆発的に普及し、現在は英語検定や漢字検定など、ありとあらゆるものに応用されています。

ちなみに、級位・段位は、基本的に誰でも発行することができます。なので、「どこから認定されたものか」も、それなりに大切です。

何年か前、千葉県の森田健作・元知事について「剣道二段というが、全日本剣道連盟にはその記録がない」と、話題になったことがありました。これは全日本剣道連盟が発行したものでなく、森田元知事の知人の剣道の道場の先生が認可したものでした。だから森田健作元知事は嘘はついていません。とはいえ、全日本剣道連盟の認可したものとのニュアンスには微妙な違いがありますね。

武道の段位については道場単位で認可するのが普通で、「全国どこの道場に行っても段位がそのまま通用する」剣道のほうがむしろ例外。空手や合気武道（いわゆる「柔術」です）などは、連盟や流派の数だけ段位の発行者がいて、その基準も様々です。

「特技」欄は、「第三者的・客観的に公式記録として確認できる技能」を書きます。あなたの作品の登場人物が水泳が得意だったとして、「〇〇スイミングスクール小学二年の部・三位」と「市内大会優勝」と「県大会優勝」と「オリンピック出場」では、その登場人物の人生に与える影響が、ずいぶん異なることが、わかるでしょうか。

「特技」は、作品にみえる形で反映しなくても、雄弁に物語る場合もあります。

麻生太郎元首相は、一九七四年（昭和四十九年）メキシコ国際射撃大会で個人優勝し、一九七六年（昭和五十一年）第二十一回モントリオールオリンピックに日本代表として参加しました。アスリートとして凄い経歴の持ち主なのですが、麻生太郎氏にオリンピックの話をたずねる人はほとんどいません。これは、麻生太郎氏の議員としての実績が、オリンピック選手としての実績をはるかに上回っていることを物語っているのが、わかるでしょうか。

さて、ＪＩＳの履歴書が埋められましたか？

あなたが長編の執筆に行き詰まっている場合や、予選は通るけれどもなかなか最終選考に残らない場合、作品によって予選落ちしたり最終に残ったりと評価の波が大きい場合、この登場人物の履歴書が空欄であるケースがきわめて多い。

ＪＩＳの履歴書は事実を列記したもので、調べてゆけばわかるものばかりです。ぼくがデビューした当時にくらべると、下調べは飛躍的にラクになりました。学校名と学費を検索窓に入力するだけで学費が一瞬で出てくる。国会図書館に行って手分けして複写しまくった時代を思うと、夢のようです。

こうして登場人物の個々の項目をもとに、取材をしてゆきます。職業が決まれば、「その人の『普通の』一日」が決まってゆきます。小説とは、基本的に「その登場人物の、普通ではない一日」を書くものです。普通ではない一日を書くためには、「何がその人にとって普通なのか」を把握しておきましょう。

分量が多くて一見たいへんそうです。ですが、慣れてしまえば「あっという間にできる」ものです。繰り返しますが、ほとんどのプロの作家は、こうした登場人物の履歴書なんぞ、書かなくても無意識のうちに浮かんでいます。

ＪＩＳの履歴書づくりは、自転車に乗ることと同じようなものだと思ってください。初めて自転車に乗ったときのことを思い出してみましょう。一度に同時にやることが多かったですね？　体幹でバランスをとりながらハンドルで舵をとり、体軸がぶれないようにしながらペダルを漕ぎました。

「やったことがない」のと「できない」を混同しないことが重要です。いままで登場人物のＪＩＳの履歴書を書いたことがないのだから、書くのに手間と時間がかかるのは当たり前です。なぜできないかと言えば、やったことがないからです。できないことは、やらなければ永遠にできないままです。

さあ、深呼吸して、ちょっと振り返りましょう。あなたは、こうした、大量の登場人物について、何も考えずに作品を書き上げました。そこにはひとつ、いいことがあります。つまり、

「書くことがないのに書き上げられたのだから、書くことを明確につくっておけば、前の作品を書いたときよりも、はるかに簡単に書き上げられる」

ってことです。

ここは手を抜くところではありません。きちんとやってゆきましょうね。

## 登場人物の「履歴書B」をつくってみよう

これも二章と若干重複します。詳しいつくり方は拙著『何がなんでも新人賞獲らせます！』『何がなんでもミステリー作家になりたい！』に詳述してあるのでそちらをご覧ください。

「履歴書B」は鈴木輝一郎小説講座独自のものです（ってほど大したものじゃありません

が)。

ＪＩＳ規格に書くことのない項目を書いてゆきます。これは登場人物が作品に登場する以前のキャラクターやパーソナリティをつくるものです。

作品によって(または登場人物ごとに)、ストーリーの進行にしたがって登場人物のキャラクターやパーソナリティは変化してゆきます。変化する前のものを把握しておきましょう、ということです。

埋める項目は左記の通り。

一　登場人物が作品に登場する直前の長所・短所
　この人物の長所はなんですか。
　この人物の短所はなんですか。

二　登場人物が作品に登場する直前の喜怒哀楽
　この人物が作品に登場するまでの人生でいちばん嬉しかったことはなんですか。
　この人物が作品に登場するまでの人生でいちばん悲しかったことはなんですか。
　この人物が作品に登場するまでの人生でいちばん怒ったことはなんですか。

この人物が作品に登場するまでの人生でいちばん楽しかったことはなんですか。
この人物が作品に登場するまでの人生でいちばん苦しかったことはなんですか。
この人物が作品に登場することは、それまでの人生でどんな位置にありますか。
この人物の、この作品での目的はどんなことですか。
この人物がこれからの人生で最も起こってほしくないことはどんなことですか。
この人物がこれからの人生で最も起きてほしいことはどんなことですか。

### 三　登場人物の人生における作品の位置

この項目を、ＪＩＳの履歴書をつくった人物の人数ぶんだけつくり、埋めてゆきます。基本的にフィクションで著者の主観に大きく左右されるのが、ＪＩＳの履歴書と異なるところです。

厳密には「喜怒哀楽＋苦」ですが、煩雑なので、これ以降「喜怒哀楽」で話してゆきましょう。

さて、あなたが書き上げた作品の登場人物はどうでしたか？

どの項目がどこまで空白で、なぜ空欄になるのか、点検してゆきましょう。

## 長所・短所が埋められない

この欄は「のんびりしている」「我慢強い」「気が短い」という具合に、ざっくりとした書き方で埋められる人は多い。ただし「ではエピソードで書いてみましょう」となると、まったく埋められないのが普通です。

この欄を埋められない理由のひとつとして、「登場人物の性格の振り幅が、具体的にどの程度のものなのか、なぜそうなるのか、把握できていない」ことがあります。

たとえば「すぐにカッとなる」という性格をエピソードで表現する場合、「レストランで気に入らない人に怒鳴る」のか、「刀でぶっ殺す」のか、とでは、けっこう違いがあります。

熊本藩祖・細川忠興は激情型の人物で嫉妬深い。妻・細川ガラシャと庭先で二人でいたとき、植木を手入れしていた庭師がガラシャにみとれたことに激怒し、その場で庭師を斬り殺しました。この場合、「カッとなる」レベルが異常ですよね。そこで細川忠興のＪＩＳ履歴書をつくって「いつごろのエピソードか」「なぜそんな行動をとったのか」を推理してゆきます（史実では年代が不明です）。

そうすると「忠興がガラシャとゆっくりしていられる時期」「忠興がガラシャに対して激しく嫉妬する時期」「忠興の行動が異常になってもおかしくない時期」などの条件を組み合わせ、「豊臣秀吉の朝鮮出兵から帰還している時期で、激しいＰＴＳＤによって休養しているときのことではないか」という物語とキャラクターが組み上がります。この時期、すでに細川忠興は「利休七哲」の一人として、文化的な素養が豊臣政権随一と言われていた、ということを兼ね合わせて考えると、そのギャップから、ＰＴＳＤの傷の重篤さが、さらにアピールできる、という具合です。

この欄を埋められないもうひとつの大きな理由は、「作品のなかで、登場人物の、どの面を描きたいのか、把握していない」ことです。

人間の性格は多面的で、「我慢強い」という長所は「執念深い」という短所と表裏一体の関係にあります。

豊臣秀吉の我慢強さについては、いちいち説明するまでもないですね。

秀吉が四国・九州を制圧したあと、後北条氏を討伐するために関東に向かう途中、生まれ故郷の尾張国・中村に立ち寄った。このとき秀吉は五十四歳。まあ、ものすげえ権力者になってたわけだ。

そこで尾張中村の者にたずねた。

「このあたりに二王という者がいるか。わしが子供の頃、二王という者に、鎌の柄でしたたかに殴られた。その遺恨を、いまにいたるまで忘れたことはない。呼び出して首を切れ」

と言い出した。

「二王は死にました」

と村の者が答えたら、

「子供はいるか」

とさらにたずねた。

「子供はいませんが孫がおります」

と答えたところ「孫では縁が遠すぎるなあ」と不問に付した。

ただし、秀吉はその少しあと、「朝鮮出兵の際に尾張中村の者は一人も大坂まで挨拶に来なかった」という口実をつけて農民たちの田畑を没収しました。

秀吉というと「たたきあげの出世人」「努力と忍耐の人」「気遣いの人」という側面が強調されることが多いのですが、こうした逸話を踏まえると、「なぜそこまで努力したのか」「なぜそうまでして出世にこだわったのか」といった面を把握でき、複合的なキャラクターをつくってゆくことができるわけです。

この登場人物の長所・短所は、ＪＩＳの履歴書と密接な関係があります。ここが埋められないときは、ＪＩＳの履歴書に空欄がないかどうか、チェックしてみましょう。

## 喜怒哀楽が埋められない

「長編を書き上げることができない」人が、最も埋められない項目が「その登場人物が作品に登場する直前の喜怒哀楽」です。

この項目には「その登場人物が作品に登場するまでの喜怒哀楽」をエピソードで記入します。

なぜこの項目が必要か。それは、あなたの書き上げた作品が、登場人物にとって、かつて経験したことのない出来事だからです。それは「かつて経験のない嬉しさ」「かつて経験のない悲しさ」「かつて経験のない怒り」「かつて経験のない楽しさ」「かつて経験のない苦しさ」のどれでも構いません。

ただし「かつて経験したことのない出来事」を書くためには、「かつてどんな経験をしたか」がわからなければ、書くことはできません。

つまり、登場人物の人生経験の基準値を把握しておこう、ということです。

この項目が埋められていない場合、あなたは、その作品の登場人物が「何に対して怒り」「何に対して、どのぐらい苦しみ」「その苦しみから逃れるためには何をしたらいいかを選択し」「苦しみから解放されたときの喜びはどういう状態なのか」をまったく考えずに書いていた、ということです。別の言い方をすると「何も考えずに書いている」ですね。

「この人物は、怒ったことはありません」と記入してくる例をとても多くみかけます。

この項目の喜怒哀楽は、相対的なものを書いてゆきます。

少し考えれば明らかですが、「怒ったことがない」人は、存在しません。

ただし、「怒っても、耐えて感情を表に出さない人」「大声をあげて怒鳴ったり、顔色をかえるほど怒ったことがない人」「怒ってもすぐに忘れてしまう人」「怒る前に、怒りの原因となる人から興味を失うことで対処する人」などはいます。

つまり「顔色を変えて怒った経験がない人」が「顔色をかえて怒った」のなら、その出来事は、その登場人物の人生史上、最も怒った状態を示すことになります。


この項目は、同じ内容でも、年齢によって大きく意味が異なります。

たとえば「人生最大の喜び」が「第一志望の大学に合格したこと」だとしましょう。主人公が二十歳ならば「まあ、そうだろうな」以上の感想を持ちようがありませんが、三十歳ならば「この人物は仕事では充実していないヤツ」だと判断できますね。五十歳であれば「自慢できるものが学歴だけの虚しいヤツ」になってゆきます。

「人生最大の苦しみ」が、幼児期の虐待や犯罪被害、戦争体験などで、成人したあとも引きずっている、とすると、その苦しみの重さがドラマになってゆきますね。

一定の割合で「登場人物の喜怒哀楽が何も浮かばない」という人がいます。

原因と解決策は明らかです。

登場人物の日常的な生活に関心がないというのが原因。そして登場人物の日常生活に目を向けることが解決策です。

あなたが自分の書いた作品の登場人物について、この「喜怒哀楽」の部分が空欄で、何も思いつかない場合、自分に質問してみることをお勧めします。

「昨日、自分はどんな一日を過ごしたか？」

です。

「登場人物の喜怒哀楽が埋められない」人は、ほぼ例外なく、自分の昨日の過ごし方について「特に何もない」「何も思いつかない」と回答します。

「今日はどんなことがありましたか」とたずねられて「特になし」って答えるの、ほとんど小学生の夏休みの絵日記ですよね。

少し考えてみましょう。「何もない一日」などありません。「いつもと同じ日」とはつまり、「ほぼ毎日のルーティンから外れることがなかった一日」で、「それまでの人生で経験した基準値のなかの喜怒哀楽で収まる日」であり、「それまでの仕事の経験のなかで処理できる一日」です。

さあ、あなたの「いつもと同じ日」はどんな日なのでしょうか。何時に起床し、何時に家を出て、何時に勤務先についたか。勤務先で誰と会い、どんな処理をしたのでしょうか。とても大切なことですが、なぜあなたの昨日の一日が一昨日とほとんど同じだと思いますか？　それは、あなたが仕事を身につけているからです。あなたが初めて出社した日を覚えていますか？　職場の固定電話が鳴っただけで、とびあがるほど緊張したのではないでしょうか。

重要なことは「日常を描く」ことです。小説は基本的に、登場人物にとっての非日常を描きます。日常が描けないと、どの程度の非日常なのかが描けない。つまり、そういうことです。

## 「この人物の登場はそれまでの人生でどんな位置なのか」が埋められない

埋められないケースが多い欄です。「埋められない」以上に「つまり何を聞かれているのかわからない」と、質問そのものが理解できないケースもけっこうあります。

小説は、作品のなかで何かしらの事件が起こり、その事件に登場人物たちがどう対応するかでストーリーが生まれてゆきます。作品のなかで発生した事件は、登場人物それぞれにとって、重みが異なります。その事件と登場人物との距離を把握することで、登場人物たちの対応と行動を考えましょう、ということです。

簡単に言うと「画面の背後の通行人にも人生があることを忘れずに」ってところですか。

拙著『何がなんでも新人賞獲らせます！』でちゃちゃっとつくった『草食男子肉食女子長良川織田信長鵜飼婚活殺人事件』を例にとってみましょう。

「草食男子と肉食女子の主人公カップルが長良川の婚活鵜飼船のなかで、鵜匠の手綱で首を絞められて殺されている女性を発見。うっかり肉食女子がその手綱をとると、女性の口から丸呑みされた鮎がとびだした。鮎の体には『のぶなが』『たらこ』の文字が彫られていた」

——ってな、お気楽系ミステリーです。

ここに登場するのは「被害者」「草食男子（第一発見者）」「肉食女子（第一発見者）」で

す。あと、前述の短文のなかには書かれていないけれど確実に存在する人物も列記してゆきましょう。ざっと考えられるのは、「婚活パーティに参加している男性&女性」「婚活パーティの主催者」「鵜飼船の経営者」「警察（捜査担当の刑事）」「被害者の家族または友人」「加害者（犯人）」です。煩雑なので、第一発見者の二人を探偵役にしましょう。

物語の性格上、「人間の心の闇に迫る」などのリアリティよりも「小説のパズルとして楽しむ」ことを優先するタイプのものです。ただし「だったら人間を描かなくていい」というわけではありません、念のため。

さて、これらの登場人物にとって、その作品に登場することは、それまでの人生のどんな位置にあるか、みてゆきましょう。

「被害者」は、この物語が最も人生に影響した人物です。人生が終わったわけですから。だから作品中に被害者が描かれる場合、書かれるのは被害者の生前のことだけに絞られます。犯人が逮捕され、事件が解決しても、被害者の人生はかわらないことに注意。もう死んでますからね。

「婚活パーティに参加している男性&女性（たぶん複数）」は、基本的に野次馬です。前述の「画面の背後の通行人」と同じ立場ですね。彼らには彼らの人生があります。ただし彼らの人生にとって、この殺人事件は「ちょっとした思い出」以上の影響はありません。事件が解決しようがしまいが、彼らには何の関係もありません。

「婚活パーティの主催者」は、事件が発生した時点で人生がかわります。要するに、自分の会社が主催する婚活パーティで、殺人事件という、最大の不祥事が発生したわけですから。下手すると訴訟、うまくいっても予約のキャンセルや退会者の続出となる。これは事件が解決しようがしまいが、無関係に大打撃になる立場ですね。

「鵜飼船の経営者」について。実際の長良川の鵜飼船（正確には鵜飼を観る客を乗せる『観覧船』ですが）は岐阜市鵜飼観覧船事務所が所有しています。これに鵜匠・船頭・温泉旅館組合経営者などでつくる「長良川鵜飼運営協議会」が協議して経営しています。これだと経営者が多すぎ、物語が複雑になってしまうので、経営者代表として観覧船事務所長さんに登場してもらうことにしましょうか。この観覧船事務所長さんも、殺人事件の事後処理で人生がかわりかねない立場です。殺人事件現場となった鵜飼船は、事故物件なので、もう、使えない。どこかに廃棄しなきゃならない。その出費と、新しい鵜飼船の調達資金、事件後の名誉回復などでかけずりまわることになります。ちなみに、この登場人物も、事件が解決しようがしまいが、無関係に人生がかわる立場です。

「警察（捜査担当の刑事）」は、「仕事として殺人事件の解決の経験が豊富」という立場です。登場人物のなかでは最も殺人事件にたずさわったことがある。違う言い方をすれば、今回の事件が彼の過去の経験を上回る事件なのかどうか、が重要になってきますね。ちなみに、事件が解決してもしなくても、警察は給料を支払われる立場で、警察関係者の人生はかわりません。

「被害者の家族または友人」は、基本的に被害者と同じ立場です。事件が発生した時点で人生はかわります。事件が解決したほうがいいでしょうが、解決してもかわった人生が戻るわけではない、複雑な立場ですね。

「加害者（犯人）」は、これまであげたなかで唯一、事件が解決すると人生がかわる立場なのが、わかるでしょうか。「事件が解決すると困る」という立場です。

こうして列記してみると、この物語には「事件が解決しないと困る人がいない」ことがわかるでしょうか。ですので、探偵役の「草食男子（第一発見者）」「肉食女子（第一発見者）」の二人に、「なぜ事件が解決しないと自分たちが困るのか」という理由を背負わせると、物語ができあがってゆきます。どういう理由を背負わせるのか、ぼくに聞かないでくださいね、思いつきで言っているだけですから。

ともあれ、こうやって、登場人物と作品内の物語との距離感を点検してゆくと、あなたが自分の作品のなかで、何が不足しているのか、みえてくるのではないでしょうか。

## 「この人物の、この作品での目的」が埋められない

この欄はＪＩＳ履歴書の「氏名」欄に次いで、最も埋められやすい項目です。空欄になっているところをみたことがないかな？

小説は基本的に「誰かが、何かをすることを、読者に伝えるもの」なので、ここが空欄になっているわけがありません。

前述の『カチカチ山』でみてゆきましょう。カチカチ山はストーリー構成がシンプルなので、わりと簡単に書き出せるのではないでしょうか。

「おじいさん」の、作品での目的は「タヌキの悪行を示し、タヌキを退治する理由を読者に提示すること」です。

「おばあさん」の、作品での目的は「被害者になること」です。騙されたり、殺されたり、

鍋物の具になったり、さんざんな目に遭っていますね。「ウサギ」の、作品での目的は「タヌキ（悪）に懲罰を与えること」です。ウサギはタヌキと仲良く山道を歩いたり（でもウサギはタヌキの背中に放火した）、自分を信頼しきっているタヌキの背中に治療を施したり（でもウサギはタヌキの背中の火傷に唐辛子入りの味噌をすりこんだ）しています。なんだか、「ウサギは正義の名目のもと、タヌキをいたぶっているだけじゃねえか」という気がしてきますが。「タヌキ」の、作品での目的は「退治される悪とは何かを示し、どう処罰されるか読者に提示すること」です。タヌキはおじいさんの畑に無断で入り（不法侵入）、作物を盗み（窃盗）、おばあさんを殺し（殺人）、殺したおばあさんを解体して鍋に放り込んでばばあ汁にしました（死体損壊・遺棄）。現代の刑法に照らしても、かなりの重罪なのが、わかりますか。

この項目が埋められないのは、著者自身が、この登場人物に物語で何をさせたいのか把握していない、ということです。

別の言い方をすると、この人物を作品に登場させる意味がない、ということでもあります。

## 「この人物が今後の人生で最も起こってほしくないこと」が埋められない

この項目は文字通りの意味です。この登場人物が、あなたの作品に登場する時点で、これからの人生で最も起こってほしくないことは何かを記入します。

ここが空欄になっているケースは多く、また、埋めてあってもバリエーションにきわめて乏しいことも多い。

なぜこの項目が埋められないか。それは、その登場人物が、何に対してどう反応するのか、著者が把握していないことを意味しています。

この項目が埋められない人物とはどんな人物か。それは「ほかに取替えがきく登場人物」すなわち「特徴がなく、ほかの誰でもいい人物」です。

前述の童話『カチカチ山』をみましょう。

「おじいさん」にとって「最も起こってほしくないこと」は「おばあさんが死ぬこと」で

すね。タヌキは、おじいさんが想定している「最も起こってほしくないこと」さえ上回る悪行をやらかしたので、読んでいる側もウサギに「もっとやれ！」という気になるわけです。おじいさんのポジションは、代わりがきかないことが、わかりますか。

「タヌキ」は一度おじいさんに捕らえられ、もうあと一歩でタヌキ汁にされるところでした。タヌキにとって「最も起こってほしくないこと」は「自分が殺されること」。ただしその恐怖は「すでに体験済み」です。つまり単に「タヌキを殺す」だけではタヌキに復讐を果たすことにはなりません。タヌキのポジションもまた、おじいさん同様、代わりがきかないことが、わかりますか。

「おばあさん」の「最も起こってほしくないこと」は空欄です。『カチカチ山』のおばあさんは、きわめて主体性のない人物として描かれています。おじいさんに「タヌキの番をしろ」と言われてタヌキの番をし、タヌキに「助けてくれ」と言われると情にほだされて助けてタヌキに殺されます。おばあさんは「おじいさんの唯一無二の存在で、何も考えず、タヌキに殺されるだけの存在」です。この条件を満たすのであれば、おばあさんは「おじいさんの孫」でも「おじいさんが可愛がっている犬のポチ」でも代役がききます。

「ウサギ」の「最も起こってほしくないこと」も空欄です。ウサギは、おじいさんの依頼を受けて、タヌキに復讐するだけの存在です。ウサギのポジションは、中村主水《もんど》やゴルゴ13にしても物語にほとんど影響がないことが、わかるでしょうか。

誤解のないように書いておきますが、『カチカチ山』は童話という性格上、物語の文字数が限られています。「悪を退治する」というテーマにしたがって、シーンや登場人物のキャラクターのうちの、多くの要素が捨てられています。長編で『カチカチ山』のようにいろいろ捨てると、長編の物語をささえきれないということです。

「自分に最も起こってほしくないこと」の項目で「自分が死ぬこと」「夫（妻）が死ぬこと」「子供が死ぬこと」以外のことが書けない場合、前述の「喜怒哀楽」の項目が空欄になっていないか、確かめてみましょう。つまり、反応のバリエーションがない、ということです。

ストーリーをつくってゆく原則のひとつとして、この「登場人物にとって起こってほしくないこと」を冒頭に持ってくる方法があります。『カチカチ山』は、その典型例ですね。

もちろんあくまでも「原則のひとつ」なので、ほかの方法は、いくらでもあります、念のため。

また、この項目は、最もストーリーに直結する項目です。「つまりこの作品はどういう物語なのかわからない」水準の場合、ここが空白です。すなわち「この物語のなかで登場人物が何をしたいのか、著者が把握していない」状態です。三章2で述べた「何がしたいのかわからない（物語の目的）」ということですね。

前述の例題『桃太郎』で、全体のテーマが把握しにくい理由もこれです。

童話『桃太郎』をチェックしてみると第一章・第二章・第三章で、それぞれ登場人物の目的――「最も起こってほしいこと」が異なるのが、わかるでしょうか。

第一章は比較的明確です。「おじいさん」「おばあさん」にとって「最も起こってほしいこと」は「子供を授かること」ですね。

第二章は、「桃太郎が鬼退治のために鬼ヶ島に向けて出発する物語」です。ここで「桃太郎」にとって最も起こってほしいことは「無事に鬼ヶ島に着くこと」です。犬・猿・キジのお供を雇用するのは「鬼ヶ島で鬼に勝利するための態勢づくり」というプロセスであって、物語の目的ではないのがわかるでしょうか。

第三章で「桃太郎」にとって「最も起こってほしいこと」は、「おじいさんとおばあさんに喜んでもらうこと」です。鬼ヶ島で鬼退治をするのは、おじいさんとおばあさんに喜んでもらうための手段だというのがわかりますか。

第三章で「おじいさん」「おばあさん」の「最も起こってほしいこと」は、実は不明です。おじいさんとおばあさんは桃太郎が帰ってきたのを喜んでいます。ただし、おじいさんとおばあさんがいちばん喜んだのが「桃太郎が帰ってきたこと」なのか「金銀財宝を手に入れたこと」なのか「鬼が退治されたこと」なのか、書いてありませんね？

第三章で、おじいさんとおばあさんが何に対して喜んだのか、実はとても重要です。「桃太郎が帰ってきたこと」に最も喜んだ場合、おじいさんとおばあさんは「桃太郎が無事なことが最も重要」なことになります。その場合、桃太郎が自分の命にかかわる「鬼退治」という行動に出たのを、おじいさんとおばあさんがどう思ったか、考える必要はあるし、きび団子をどういう心境で渡したか、表現方法も違ってきます。

「金銀財宝を手に入れたこと」が「最も起こってほしいこと」であった場合、おじいさんとおばあさんが、桃太郎を何のために育てたか、けっこう受ける印象は異なるのが、わかるでしょうか。

「鬼が退治されたこと」に最も喜んだ場合、おじいさんとおばあさんは「自分たちが安心して暮らせることに対して喜んだ」のか、「鬼を退治することで村に平和をもたらすような人物に、桃太郎が成長したことに対して喜んだ」のかでは、「何に対して・誰に対して喜んだのか」が異なることがわかりますか。

童話『桃太郎』は「桃から生まれた桃太郎」というフレーズを徹底的に絞り込み、ほかの要素は基本的にほとんど捨ててかかっている、ってな構造になっているのが、わかりますね？

誤解のないように書いておくと、童話『桃太郎』はあらゆる形の伝承による取捨選択を経て今日の形にできあがっていったものです。「『桃太郎』はあれだけ省略してあるんだから、俺だってすっとばしていいよね」と思ったら痛い目に遭うので、そのつもりで。


繰り返します。

ストーリーの基本は「誰が何をするのか・何をしたいのか」でできています。登場人物たちが、あなたの作品のなかで何をしたいのか、把握することは、とても重要です。

# 第四章　どうやれば長編小説を書き上げられるのか

さて、これまで「なぜ長編小説が書けないのか」の症例と原因、原因の自覚の仕方を述べてきました。

この章では、「どうやれば長編小説を書き上げられるのか」を解説してゆきましょう。

## 1　最初に生理的欲求・社会的欲求を満たす

先に結論を書いておきましょう。「小説家になるためには、まず健康と『食う寝る処に住む処』を確保しよう」ってことです。生理的・経済的・社会的な余力がないと、プロになるまでに続かない。

小説家のプロデビューを目指すのであれば、固定収入と、温かい布団と、インターネット接続は必須です。

けっこう忘れがちですが、「小説家とは、どんな仕事なのか」をあらためて考えることは大切です。

「マズローの欲求五段階説」ってものがあります。これは「人間の欲求はピラミッド型に五段階の階層構造になっている」という説です。

ざっと並べると、

一、生理的欲求　二、安全欲求　三、社会的欲求　四、承認欲求　五、自己実現欲求の五つ。基本的には、人間は、この順番で欲求を発生させてゆきます。欲求があればそこに対応する職業が生まれてきます。

小説家の仕事とは、「承認欲求」と「自己実現欲求」を満たすための仕事です。

## まず生理的欲求と安全欲求を満たす

長編を書き上げるためには「『食う寝る処に住む処』を確保しよう」「規則正しい生活をしよう」「適度な運動をしよう」ということです。

デビュー前の人が、すべてを捨てて小説家一本に絞ると、必ず失敗します。二十代でどこかの新人賞で予選をかすっただけで才能があると錯覚し、会社を辞めてバイト生活に入り、予選落ちしまくって、五十の声を聞いて我に返り、鈴木輝一郎小説講座の門を叩く受講生を、何人もみてきました。

例外なくプライドだけが高くなり、基本に忠実に中学生国語の問題集を解かせてみると玉砕し、「何が書いてあるのかわからない」と作品水準を評価すると激怒して即座に辞めます。繰り返します。デビュー前に筆一本になった人で、筆力が向上した人に、ぼくは会ったことがありません。

ながらくその理由がわからなかったのですが、先日、薬物依存症のリハビリテーションの講義を受けたときに、その疑問が氷解しました。承認欲求や自己実現欲求を求めるあまり、生理的欲求と安全欲求の存在をないがしろにしていた、ということです。

薬物依存症の場合、薬理作用で「自己が実現された」と錯覚し、生理的欲求や安全欲求をスキップし、いきなり自己実現欲求を満たしてしまう、とのこと。薬物依存症で深刻なのは、こうした作用のために生理的機能や社会的機能が落ちていることに気づかなくなってしまっているとのことでした。

このため、薬物依存症のリハビリで最初にやることは、生理的欲求と社会的欲求を満たし、それぞれの機能を回復することだそうです。

具体的には、三食きちんととり、睡眠をとり、運動プログラムで体力をつけ、規則正しい生活と就労プログラムで定収入の確保性を回復するところからはじめるということです。

そこまで極端な例でなくとも、ミュージシャンや俳優、芸人などが三畳一間の下宿やシェアハウスなどに住み、バイトで食うや食わずの生活をしながらイッパツ当てるのを目指す例はいくらでもあり、ネット配信にはＭ－１芸人の舞台裏番組が山のようにありますね。

それらと同様、長編小説を書き上げるためには、まず体力をつけ、バランスよい食事と十分な睡眠をとり、規則正しい生活習慣をつけることが重要です。

小説家のエッセイなどに目を通すと、不健康な生活をきわめた話がけっこうあります。名作を書くために「ノムウツカウ」に耽溺することはあります（ぼくもあった）。ただし、名作を書ける人が不摂生な生活をしているからといって、不摂生な生活をしていれば名作が書けるわけではありません。

デビューすると、小説仕事が軌道に乗るまでは（乗ってからも）体力的に過酷な日々が続きます。その日のために、体力と資金を蓄えておきましょう。

## 社会的欲求を満たす

結論を先に書くと「定職につけ」「会社を辞めるな」ということです。

あなたが定年や専業主婦、居職などで自宅にこもりきりで見知らぬ他人と会う機会がない場合には、三味線や俳句など「定期的に外に出て他人と会って話す」趣味をつくるか、ボランティアなどの奉仕活動で「定期的に外に出て社会と触れ合う場所をつくれ」ということです。言い換えると「社会への窓」を開けておけ、の意味です。

前述の「生理的欲求」「安全欲求」にくらべると緊急性の意識が持ちにくいものですが、人間として社会生活を送ることは重要です。

直接的な理由としては「人間のストックをつくりましょう」ということです。

小説の本質は、人間の葛藤や苦悩、楽しみ、怒り、悲しみなど――人間を描くことにあります。小説を書こうという人はストーリーのつくり方ばかり熱心で自分以外の人間に興味がないことが通例です。

ミステリーを書くのに殺人犯の知り合いは要りません。司馬遼太郎に戦国武将や幕末の志士に知り合いがいるとは思えませんが、織田信長や新選組を訳知り顔で書いていますね。むしろ「平凡な日常」「普通の日常」を把握することが重要です。人の数だけ「普通」があることを忘れがちです。

社会生活・他人とかかわり、他人と話す生活を維持しておかないと、人間のストックがないので、自分以外の世界が書けず、たちまち行き詰まります。

間接的な理由としては――というか、むしろこちらのほうが重要ですが、「社会生活との接点をつくっておかなければ人間が壊れる」ということがあります。

二〇二〇年に新型コロナが流行し、緊急事態宣言によって多くの人が強制的に社会生活を制限されました。このとき「コロナ鬱」と呼ばれる病気が話題となりました。社会性を制限され、社会から孤立することで鬱状態を発症するということです。

「一日中自宅に引きこもり、他人と会話せず、机の前で過集中となる」のは、まさに小説家の生活そのものです。

精神の健康を維持し、長編を書き上げるための精神的体力（精神力とはちょっと違いますね）をつくるには、周囲の人とのコミュニケーションを心がけましょう、ってことです。拙著『新・何がなんでも作家になりたい！』で書いた、いわゆる「小説外執筆環境を整えなさい」という話です。

## 2　応募する新人賞を先に決めよう

節タイトルの通り、長編を書き上げるためには、「応募先の新人賞を、原稿を書く前に決める」ことが重要です。

なぜ長編を書き上げるために応募先の新人賞を先に決めるべきなのか。

応募先を決めないと、執筆スケジュールが立たないからです。

執筆スケジュールでは「いつまでに」「どのぐらいの分量で」「何を」「どのぐらいの水準で書く」かを決めます。

デビューの前のあなたは「どのぐらいの水準で書く」かを決めることはできません（ぼ

くもできませんが)。自分の意志で決められるのは期限と枚数だけです。デビュー前は原稿の注文はないので、応募先の新人賞を決めることで、せめて期限と締め切りを設定しましょう、ということです。

それ以上に、「新人賞の応募原稿の執筆は仕事」という意識を持つことが重要です。どんな仕事でも、軌道に乗るまでは持ち出しが普通です。あなたが自営業だったら、黒字を出すまでのことを思い出しましょう。会社員であれば、就活して就職先が決まるまでは無収入でしたね。

小説の新人賞への応募原稿の執筆は、常連がつくまでのラーメン屋、小説家への就活だと思ってください。

仕事として考える場合、最初に重要なのは、時間と分量です。

ラーメン屋の場合、開店時間に店を開けなければ常連はつかない。カラのドンブリを出したら二度と客は来ない。就活の面接で遅刻したらどうなるか、答えは明らかですね。

応募する新人賞を決めたら、必ずその新人賞の過去の受賞作に目を通しましょう。

よく「新人賞の傾向と対策」と言う人はいますが、そんなものはありません。もっとシンプルに「就活するとき、応募する会社の概要を知らずにエントリーしないでしょ？」ってことです。

新人賞にカラーがあるのは本当です。重要なのは「その新人賞を受賞したらどういう作家になるのか」を把握し、イメージし、目標を意識することです。

「長編を書き上げることだけでも苦労しているのに、受賞後をイメージするなんて馬鹿馬鹿しい」と考えているそこのあなたは、とりあえずその意識を捨ててください。

ほぼ毎年、何人かの受講生がデビューするなり新人賞を受賞するのをみてきた立場から断言します。新人賞を受賞したり小説家としてプロデビューするのは、夢でも絵空事でもありません。

新人賞の締め切りに間に合わなかったらどうするか。

わりとよくある失敗です。この場合、絶対にやってはいけないのは「間に合わなかったから目標を別の新人賞にしなおして完成を目指して締め切りを延ばす」ことです。なぜやってはいけないか？　締め切り延ばしは、癖になるからです。

そもそも、あなたの原稿ができあがるのを、誰も待っていないことを思い出しましょう。

誰にも催促されない場合、「間に合わなければ次にする」と締め切りを延ばした場合、延ばした締め切りにも間に合わないのが普通です。

この「次の新人賞に出せばいいから病」は本当に怖い。つまり、デビューしたあとでは「注文された原稿が締め切りに間に合わなかったから次の締め切りにしよう」という選択肢はないからです。「次があるから病」にかかったら、作家生命の即死を意味しています。

だから、デビュー前から、未然に防ぐ習慣をつけておきましょう、ってことです。たいへんなようですが、締め切りに間に合わなかった作品は破棄し、確実に守ることができる新しい締め切りを設定し、新しい新人賞に向けて新しい作品を書きましょう。

プロの小説家としてやってゆくために最も重要なことは、筆の早さよりも、スケジュールを守れる計画性です。

## 3　作品世界の一般常識と一般教養を把握しよう

長編小説を書き上げられない最も大きな理由として、「登場人物の日常が描けない」「登場人物の何を調べたらいいのかわからない」というものがあります。

なぜ日常が描けないのか？　それは、登場人物の日常を把握していないからです。

実のところ、各種の調べ物やキャラクター造形のなかで、最も取材がたいへんなのが、「一般常識・一般教養」です。「一般常識は一般常識で書ける」と考えがちですが、そうではありません。

「普通」という単語を使うのをやめましょう。「普通」と言った瞬間に、思考が停止するからです。

一般教養・一般常識とは、「その世界・その時代に住む人間の共通認識」と「登場人物が物語に登場した時点での一般的な常識」を組み合わせたものです。

物価や衣食住、社会構造など社会生活をするうえで知るべきもので、きわめて多岐にわたっていることを忘れがちです。

一般常識は、視点者の年齢ぶんだけ蓄積されています。

よく「普通の生活」という言い方をします。しかし、あなたの考えている普通と、読者が受け取る普通は異なります。

ぼくは毎朝、起床すると、まず冷蔵庫を開けてプレーンヨーグルトを二百グラム食べ、スプレードライのインスタントコーヒーを湯呑みで飲み、電動歯ブラシで歯磨きします。これがいまのぼくの「普通の朝」ですが、あなたにとっては違います。ぼくは起床するときは目覚ましをかけず、眠れるだけ眠る「目覚まし無し健康法」を実践しています。これは定時出社が通例のあなたの「普通の朝」とは違いますね？

また、「ぼく自身の普通の朝」とも異なります。二年ほど前から、朝食をとりすぎると頭が働かなくなってきたので、朝食をプレーンヨーグルトにしました。

人生は人間の数だけ異なり、同じ人間のなかでも常に変化します。

一日は無数の無意識の決断と判断からできている。その決断と判断は、その人のこれまでの人生の蓄積に左右されています。

ふだんスキップしている、あなたの一日の行動をトレースしてみましょう。歯を磨いて寝るところまで、全部書き出してみるとよくわかります。

前述のぼくを例にとりましょう。

ぼくは電動歯ブラシを十五年ほど前から使っています。メーカーはブラウンで、オーラルBという、最も安い機種です。

なぜブラウンの電動歯ブラシを使い続けているかというと、消耗品であるブラシがけっこう高価で、本体のバッテリーが寿命で使えなくなっても、ブラシを残したまま捨てるのは惜しいからです。そして、なぜ最も安い機種なのかというと、先日買い換えようとしたとき「この上位機種といちばん安い機種の違いは何か？」とチェックしたら、バッテリーがニッケル水素電池かリチウムイオン電池かという違いがあった。「精密機械じゃないのだからニッケル水素電池で十分」と判断したからです。

これらのことから「ブラシを捨てるのが惜しくて本体を買い換えるような、本末転倒な判断をちょいちょいする」「ニッケル水素電池とリチウムイオン電池の特性の知識がある」ことが洗いだせますね。また、「なぜニッケル水素電池とリチウムイオン電池の特性の違いの知識があるのか」というと、「二十数年前に携帯電話を導入したとき、ニッケル水素電池の重さとメモリー効果に泣かされた。そしてリチウムイオン電池になったとき、その小型軽量さにびっくりして調べた」経験があるからです。

朝の歯磨きの歯ブラシの選択ひとつにさえ、いろんな知識と経験と判断の蓄積があることがわかりますか？

一般常識は、それらの無数の集合によって形成されています。そして我々は、無意識に行動を起こしすぎていて、「自分の一般常識が他人にとっての非常識・非日常」だということを忘れています。

## 一般常識を把握するうえで、やってしまいがちな失敗

重要なことなので、繰り返します。小説においての「一般常識」というのは、著者の一般常識ではなく主人公の世界の一般常識のことです。

その小説世界に住む人間が持つ一般常識です。

現代日本であれば、現代日本の一般常識です。

江戸時代であれば、江戸時代の人間が持つ一般常識です。

青春小説であれば、その時代の主人公の一般常識です。

ファンタジーであれば、その世界の人間が持つ一般常識です。

そこらへんの違いを理解せず、やらかす失敗がいくつもあります。

主人公を女子大生にしてしまう失敗。これはけっこうあります。

中高年男性の著者が、たいした思い入れもなく主人公を女子大生にするケースは、とてもよくみかけます。

当たり前ですが、この場合、著者は二十代の女性になったこともなければ、女子大生になったこともない。だから女子大生の一般常識がわからない、ということです。口紅やアイラインの引き方がそもそもわからないし、ユニクロのブラトップとワコールの違いもわからない。そもそも女性の下着の高い安いもわからない。

本文中に「女子大生」と書いてあり、年齢が明記してあっても、明記した箇所を伏せると、性別も年齢も伝わってこないことは、とてもよくあります。

著者に「なぜ女子大生にしたのか?」とたずねると、ほぼ全員が「なんとなく」と回答します。

何も調べておらず、著者が何の思い入れもない主人公では、主人公の悩みもドラマも葛藤も生まれません。これでは長編をささえることができないのは、当然です。

実は、四十代や五十代の女性の著者が女子大生を主人公にするときも、これほどではありませんが、似たような現象はあります。

ちなみに女性の中高年の著者が、主人公を男子大学生にする例は、ボーイズラブを書く以外は、ほぼゼロです。理由がよくわからないので、これはぼくの今後の課題ですね。

主人公を学生・十代にしたときの失敗。

二十代の著者が高校生や大学生を描く場合には、違和感を生じることは少ない。登場人物・作品世界のなかでの一般常識と、著者自身の持っている一般常識との間に、大きな差がないのがいちばんの理由です。

三十代や四十代、五十代の場合、「自分が学生のときに感じたことを作品に書きたい」という場合、時代設定を「二〇二〇年代」と明記していても、いつの時代なのか不明なケースはよくあります。

人間の中身は時代で変化しませんが、ディテール・一般常識は常に変化しています。

たとえば日本史を勉強しているシーンで母親を横から登場させ、

「鎌倉幕府の成立、って『イイクニつくろう』じゃないの？」

「黙れ昭和のクソババア！」

と、二行嚙ませるだけで、二人の年齢、関係、シーンが明らかになることが、わかりますか。教科書のうえで鎌倉幕府の成立が一一九二年だったのは、遠い昔の話です。

主人公を学生や十代にした場合、「人物に中身がないので人物を描きにくい」問題と、「登場人物の環境が近くて差をつけにくい」問題に加え、こうしたディテールの激変を把握しておくことが重要です。

あなたが四十代・五十代の場合、モラルの変化に置き去りにされている可能性を疑いましょう。一般常識のうち、知識の変化は比較的把握しやすいのですが、モラルの変化は気づきにくい。

たとえば「喫煙モラル」はこの二十年ほどで激変しましたね。かつてモテ男の条件は「一押し二金三男」と言ったものでしたが、いまは女性へのアプローチを積極的にやるとストーカー案件になります。

児童小説でよくみかける失敗。

児童小説を書こうとする人が、必ず一度は手を染める設定に、「〇〇という事情（お母さんの病気とか、お父さんの病気で生活を立て直すとか、そこそこのバリエーションはあります）で田舎のおばあちゃんのところに預けられる小学生」があります。著者はほぼ例外なく、お子さんが小学生以上の女性です。「児童小説を書きたい」と思っている、そこのあなた。身に覚えがあるだろうと思います。

このケースで、よく「忘れている」一般常識は二種類あります。

ひとつ目は「現代の小学生の一般常識を押さえていない」ケース。二〇二〇年代の小学生は、物心ついたときからYouTubeがあり、日本中のトイレにウォシュレットがついています。子供に勉強を教えていたから学習内容については理解しておられると思いますが、学校の教室はどうなっているでしょうか。かつて生徒であふれかえっていた校舎は、少子化の影響で、空き教室が多い。空いている教室は、どうなっているでしょうか。

あなたが「児童小説を書きたい」と考えた理由を、あらためて思い出してみましょう。

「子供のことはよくわかっているし、あらためて取材しなくていいし、子供に読み聞かせてきたから、児童小説のことはわかっているつもりだし、文字数が少なくてラクそうだから」という理由で「児童小説を書きたい」と思ったのでは、ありませんか？

ご自身の小学生だった頃のことを思い出してみましょう。本当に重要なこと、本当に悩んでいることは、親と教師には黙っていませんでしたか？

「子供のことは、親がいちばんわかっていない」という事実を受け入れることから出発しましょう。

二つ目は「預けられた先の田舎の一般常識を押さえていない」ケースです。こうした設定では、ほぼ例外なく、おばあちゃんの家は一九六〇年代以前の環境で止まっています。おばあちゃんの家には固定電話しかなく、パソコンもなければamazonで取り寄せたものもない。そしておばあちゃんはけっこうな割合で戦争の思い出話をします。

小学生の孫を持つおばあちゃんであれば、年齢は六十代から七十代です。一九五〇年から一九六〇年生まれぐらいです。戦争を知っているわけがありませんね。岐阜に住んでいると痛感しますが、田舎住まいのほうがamazonを多用します。大規模小売店舗法が撤廃されたせいで、地方の小売業は多くが廃業においやられ、amazonを使わないと健康で文化的な生活ができなくなりつつあります。

## どうやって一般常識・一般教養を学ぶのか

しつこいけれど、大切なことなので繰り返します。

一般常識は年齢と時代によって変化しています。

一般常識は人によって異なります。

一般常識を「手っ取り早く学ぶ」方法はありません。

あまりいい方法ではありませんが、いちおう弥縫策《びほうさく》は、ないわけではありません。Google や Yahoo! で検索窓に「〇〇〇〇年」と入力すると、その年のニュースが検索されます。ただし、二桁以内だと二〇〇〇年代が表示されてしまう欠点があります。また、「発生した事件」が表示されてしまう問題があります。

とても大切なことですが、「ニュースや歴史的事柄は非日常の事項が残る」という問題をかかえています。つまり「そういう事件があった」という認識は必要ですが、「その事件はその時代では非日常」であることを忘れずに。

二〇〇三年以降にしか通用しない方法ですが、検索窓に「〇〇〇〇年　検索語　ランキング」と入力すると、その年に検索された単語のランキングが表示されます。

検索語ランキングは「その年の人々にとって関心は高いが知らない言葉」と推測されます。ニュースを検索するよりは、より「一般常識」に近いものが出ます。

通年で確認できるものは二〇〇二年から。このときの一位が「2ちゃんねる」で「Google」が六位。「壁紙」が二位。この「壁紙」は内装として貼るものではなく、パソコンや携帯電話の待受画面の背景のことです。いまは使わなくなった――というか、当たり前すぎて誰も検索しなくなりましたね。

現代日本の一般常識を学ぶ方法で、最も手堅いのは、「大学生の就活の参考書に目を通す」方法です。

これは企業が「社会人として、この程度の常識がないと困る」と明らかにしているものです。いくつか種類がありますが、朝日新聞出版が毎年出している『朝日キーワード就職最新時事用語＆一般常識』や、ＳＰＩの問題集を解いてみるとよかろうと思います。

ただし、これはあくまでも「自分の現在の一般常識と社会常識のすりあわせをする」作業にすぎません。こまめなアップデートは必要で、そのためには「紙の新聞に目を通す」といった地道な方法しかないのが実情です。

凄く重要ですが、「紙の新聞」であること。ネットニュースには「自分の興味あるトピック」しか流れないという、決定的な欠点があります。

紙の新聞の場合、あなたが興味を持たない事柄でも目に入ってきます。重要なのは一面や何段もぶちぬく大きなニュースではなく（それは興味の有無に関係なく表示される）、地方欄の下のほうのベタ記事や、折込みチラシのほうです。

新聞記事での薬物事犯の扱いをみると「何が起こったのかではなく誰が起こした事件なのかでニュースの価値が決まる」のがわかります。覚醒剤での検挙数は年間で一万数千件で、実のところ、きわめてありふれた事件です。たとえば「覚醒剤の使用で逮捕」という記事は、無名の中小零細企業の会社員だと、地方欄の一段だけの扱いが通例です。紙の新聞の地方欄をチェックしてみると、ほぼ毎日、とり上げられているのがわかるでしょう。これが公務員だと扱いはもう少し大きく、警察官・芸能人だとかなり大きな扱いになります。

折込みチラシでの安売り広告や、どんな広告が挟まれているのか、ざっと目を通すことも大切です。スーパーのバーゲンの安売り広告をみれば、現実的な物価の相場を理解することができます。


とはいえ、これらの「一般常識を学ぶ方法」は、即効性には遠い。結局のところ、毎日コツコツ積み重ねてゆくしかない、ということです。

## 歴史・時代小説を書く人が万年予選通過者で終わる落とし穴

歴史小説や時代小説を書く人が陥りやすい穴に「万年予選通過者で終わる落とし穴」というものがあります。

「歴史小説や時代小説を書くとき、その時代の衣食住がわからないから、入念に調べる」ことをよくやります。

その結果、

「衣食住という、その時代の一般常識『だけ』が書けるようになり、その時点で現代小説を書いた作品と差がつき、予選だけは通る」

ようになり、

「予選通過だけに満足してテーマや物語、人間ドラマを描くことに注力することを忘れ、最終に残ることなく、予選通過以上の作品にならない」

ようになります。

歴史小説の場合、史実をならべるだけで原稿が埋まり、ストーリーができてしまう。五百枚の原稿に何十年もの時間をつめこんで、テーマやシーンが散漫になってしまうこともとてもよくあります。この程度の水準の作品でも素材によっては予選だけは通ることがあるので、指示をしても改善できる著者は少ない。「一次予選を通ったり通らなかったり、ときどき二次まで行く」水準でとどまるのが通例です。

ときどき受講生から「歴史小説を書くわけじゃないのだから、そこまで登場人物を調べなくとも」と言われることがあります。

逆に言うと「歴史小説のように調べることをすればとりあえず予選は通るようになる」ということ、そして「歴史小説を書くように調べるだけでは不足」だと言えることが、わかるでしょうか。

## ファンタジー小説の一般常識は何をもとにしているか把握しよう

ファンタジー小説の場合、著者は自分の作品が、何をベースにして書かれているものかを把握していないケースをよくみかけます。

「元ネタがなく、まったくのゼロからスタート」ということはありません。

「私が考えた物語だから、参考にしたものはありません」と主張する著者の作品の悪役の名前が「サタン」だという例はとてもよくあります。「サタン」は旧約聖書の悪魔の名前ですね。

ゲームや既存のライトノベルの世界観をそのまま縮小再生産する例がとても多いのですが、あなたが参考にした——あなたが好きなライトノベルや異世界を舞台にした小説の元ネタが何かをチェックしましょう。

ベースとしてよくみかけるものは「新約聖書」「旧約聖書」といった聖書ベース、「三国志」などの中国の古典ベース、古代ローマ神話ベース、日本の神話ベース、インドの神話ベースなどがあります。また、これらを組み合わせたものです。

蝉川夏哉『異世界居酒屋のぶ』は中世ヨーロッパの世界と居酒屋にたむろするサラリーマンの世界を組み合わせたミスマッチが受けました。居酒屋のメニューの描写の確かさが、この作品の魅力の重要な要素となったことは、言うまでもありません。

何をベースにするにせよ、架空の世界を構築するためには、著者が隅々までつくって把握することが重要だ、ということです。

歴史小説は、どんな些細なことでも調べれば出てくるのですが、ファンタジーではどんな道具を使って食べるか(東洋では紀元前から箸を使っていましたが、西洋ではナイフとフォークが使われたのは十七世紀以降です)ということさえ、自分で考えなければならない。ファンタジー小説は、とても手間のかかる小説だ、という認識を持つことが重要です。

こういう具合に「主人公を自分と異なる性、違う世代、違う時代、違う国、違う職業で書く」とき、気がつかないけれども最も困難なものが「主人公の一般常識」です。

——というよりも、一般常識の描き方の難しさについて、理解できないことが通例だと思ってください。

とりあえずの回避方法というか、習作として書いて勉強する方法はあります。

それは、

「現代日本を舞台にする。主人公を自分と同性・同世代にする」

というやり方です。

これはあくまでも一時的な回避策です。このやり方ならば、「主人公の一般常識」に煩わされず、取材する材料も、作品内での専門知識や専門教養に絞って学ぶことができます。

別の言い方をすると「もし自分がその職業（刑事でも探偵でも、なんでも構いません）になったとしたら、どうするか」を考えるだけで済む、というわけです。少なくとも現代日本の警察官なら、「朝起きて靴下をどちらから履くか」から書かなくても、読者にはだいたいのイメージができます。

しつこいようですが、本当に重要さがわかりにくく、わかっても習得しにくいので繰り返します。

「一般常識」は著者ではなく主人公にとっての一般常識です。

「一般常識」はすぐには身につかないことに注意してください。

## 4　作品世界の専門知識を把握しよう

小説を書くうえでの専門知識の学び方は、一般教養や一般知識を学ぶよりは、はるかに簡単です。なぜなら、専門知識は、一般教養や一般知識の上に成り立っているからです。

基本的に、専門知識とは「その業務についている人間固有の知識」のことです。前述の登場人物の履歴書をつくると、おのずとその職業や属性固有の知識が絞られてきます。

そして最も重要なこととして、

「専門知識の習得」はいちばん「才能がなくてもカバーできる分野」

だということがあります。
では、順番にみてゆきましょう。

## 誰の、いつの専門知識で、なぜ学ばなければならないか

最初に重要なのは「誰の専門知識なのかを把握すること」です。割合に勘違いしやすいのですが、小説での専門知識で重要なのは「著者の専門知識」と「登場人物の専門知識」を混同しないことです。

「著者が知っていても登場人物が知らない知識」があります。ただし、その逆、つまり「著者が知らないのに登場人物が知っている知識」は、ありません。

たとえば、あなたの作品の登場人物が小型飛行機に乗っていてパイロットが操縦中に急死したとしましょう。

このとき、登場人物は飛行機の操縦の仕方を知らないほうがスリルはあります。しかし（その登場人物にとって）どんな意表を突く出来事が起こるか、あなたに飛行機の操縦の知識がないと、書くことはできません。操縦席にある計器にどんなものがあって、何をどうみたらいいのか、登場人物は知りません。ですが、登場人物が風力計や高度計の読み方

がわからない場合、どんな風景が登場人物の目の前にあらわれるのか、著者が把握しておかないと書けませんね。

次に把握すべきなのは、「いつの専門知識なのか」です。

これは「その登場人物が作品に登場した時点の専門知識」です。

たとえば伊能忠敬の話を書くとしましょう。伊能忠敬が家督を譲ったとき、測量の知識はありませんでした。この時点での伊能忠敬の知識は、会社経営と簿記会計、資金調達と財務、政府への許認可申請業務に長じていました。だからこそ全国測量の資金調達と幕府の支援を可能にできたわけですね。

伊能忠敬が測量の勉強をしているときに立ちはだかる壁と、実際に日本全国の測量をはじめている途中で立ちはだかる壁とでは、知識の面で異なります。その違いが、わかるでしょうか。

なぜ登場人物の持つ専門知識を把握する必要があるのでしょうか。

それは、あなたの登場人物の「できることとできないこと」を把握する必要があるからです。

ストーリーをつくるとき「その登場人物は何を知らないか・何ができないか」をつくることで、作品内に葛藤が生まれます。

前述の小型飛行機の例の場合、「登場人物は飛行機の操縦方法を知らない」ことで、スリルが生まれます。そして主人公が「無線で会話するための『そこそこの知識』がある」のであれば無線での救援を求められますし、「飛行機に搭載された無線の操作方法がわからない」のであれば、「飛行機が墜落するまでの間に別の手段で飛行機の操作方法を探す」スリルをつくることができます。

## どうやって登場人物の専門知識を学ぶか

では、どうやって登場人物の専門知識を学ぶか。

繰り返しますが、専門知識を学ぶのは、登場人物の一般常識を学ぶことよりも、はるかに容易です。一般常識は登場人物の履歴書に書かれていませんが、専門知識は登場人物の履歴書に書かれているからです。

あなたは自分の長編を書き上げ、登場人物の履歴書をつくってチェックしましたね？

登場人物の履歴書が空白だったことを自覚したはずです。

そこで、次作では登場人物の履歴書をつくりました。そしたら、その履歴書に書かれた職歴をチェックし、その仕事を覚えるためには、どんな知識が必要なのか、洗い出してゆきましょう。職歴がかわるごと・新しい仕事につく（異動で新しい部署につく、でも同じですね）たびに、新しい業務を覚える必要があります。

ルーティンな日々を送れるようになるためには、何を習得しなければならないか。人事異動で勤務場所がかわったら、道を覚え、土地勘を養い、得意先や同僚の名前を覚えなければいけません。扱う商品が異なるのであれば、新たな商品知識を勉強し直す必要が出てきますね。

たとえば警察官の場合。

警察は人材育成に熱心な機関です。まず六ヶ月から十ヶ月、全寮制の警察学校初任科での勉強をします。その後、実習、再度警察学校での補修を経たのちに研修を経て現場に出ます。

「警察学校　カリキュラム」で検索をかけると、授業内容が出てきます。

山形県警のサイトを例にとると「一般教養」「法学」「実務」「術科」があります。「法学」では、憲法、民法、警察法、行政法、刑法、刑事訴訟法などを学んでいます。「実務」では、職務質問、巡回連絡、交通事故誘導などを学んでいます。「術科」では逮捕術、剣道、柔道、救急法、拳銃操法、警察礼式などを学びます。逮捕術は馴染みがありませんね。また、拳銃の取り扱いは、警察と自衛隊以外、公的に研修することはほぼゼロです。剣道は「警察剣道」といって足払いや転倒した相手にも打撃していいという独特のルールがあります。

すべての警察官がすべての科目に習熟しているとは限りませんが、すべての警察官は現場では「これらの項目のなかで、自分ができないことをまわりにたずねれば、誰かが助けてくれる環境にある」ということは言えます。

警察に限らず、たいていの職場では研修を行います。

名刺交換やお辞儀の仕方など、ぼくが社会人になってから四十年で、ずいぶんマナーが変化してきたことに驚きます。

けっこう忘れがちですが、「固定電話にかかってきた電話への応対の仕方」は職場や時代によってかわるので、これもある種の専門知識です。

## 専門知識の効率よい調べ方・学び方

一般教養や一般常識にくらべて学びやすいとはいえ、登場人物の専門知識を学ぶのは、けっこうたいへんです。

ただ、専門知識については、わりと手っ取り早く、効率的に学ぶ方法があります。前節と重複する箇所もありますが、みてゆきましょう。

あなたが四十代・五十代・六十代の場合。

自分の専門知識や専門的な経験を活かすことを考えましょう。

たいていの仕事は、十年やればひと通りのことはできるようになります。あなたは新人の教育係の経験はあり、新人が「こんなこともできないのか」と驚くことがあるでしょう。

先日、年金の書類の見直しのために年金事務所に足を運び、わからないところがあったので担当者にたずねたところ、「普通に記入してください」と回答された。さすがに腹に据えかね、「あなたにとっては毎日何十件やっている仕事でも、こちらは生まれて初めて記入する書類です。あなたの言う『普通』がどういう状態なのか、ぼくにはわからないのが理解できますか?」と聞き返しました。

今日一日、どんな仕事をしたか振り返ってみて、「何もしなかった」と思った場合、それは「無意識に無数の仕事を処理していた」ということです。

そこで、自分の履歴書をつくってみましょう。

学歴・職歴(配置換えなどの異動も含めましょう)、職歴以外の経歴や資格・特技を書き出してみましょう。

ルーティンになっている仕事と作業を書き出してみましょう。

こうしたものを書き出しているとき、本来業務以外に、業務に付帯する間接的な技能にも注意しましょう。

たとえば、ぼく——小説家のルーティンな一日の仕事の間接業務。

キーボードは、それなりに早く打てるようになります。

毎日けっこうな分量の文字を入力しているので、おのずとタッチタイピング(手元をみないでキーボードを打つこと)を身につけています。日本語を入力することだけに特化しているので試験を受けたことはありませんが、ためしにやってみたら、準二級から三級ぐらいの速さです。

必要に迫られているので、パソコンの知識はそこそこあります。

原稿は基本、テキストエディタを使って書いていますが、整形するときにWordを使うので、マクロを埋め込んだり書式設定をしたりはできます。Excelは文字入力と合算あたりまでは使っています。登場人物履歴書や作品年表をつくるときに重宝していますね。

サブマシンとしてChromebookを使っており、オフラインで原稿を書くのに必要なので、文字コードと改行コードの知識、Chrome OSとAndroidの知識は、それなりにあります。サポートの終わったChromebookにLinuxディストリビューションのGallium OSをインストールして再生する程度のスキルがついています。

また、それなりに年齢を重ねてくると、体調に関する数値にも詳しくなってきます。

血糖値や血圧、尿酸値、肝臓の数値などが、すらすらと口をついて出てくるのは、そういう年齢だから、ですね。

ぼくの場合、睡眠時無呼吸症候群のシーパップ療法（睡眠時、強制的に鼻に圧縮空気を送り、無呼吸状態を改善するものです）を受けているので、「無呼吸・低呼吸指数」なんてものにも詳しくなっています。

こうやって洗い出した知識や経験を、どうやって作品に活かすかは様々で正解はありません。

ただ、あなた自身、膨大な「生きた資料」をすでに持っていることを、自覚するのは大切ですね。

あなたが二十代・三十代の場合。

あなたが社会人の場合、仕事にかかわる資格を取得しましょう。経理の仕事をしているのであれば簿記、人事をやっていれば社会保険労務士など、仕事に関連する資格は、けっこう種類があります。

国家資格や、日商簿記のような国家資格に準ずる資格などのほか、会社が独自でやっている資格があります。

また、何かしら趣味にかかわる資格を取得することをお勧めします。

なぜ資格を取得するのがいいいか。

独学だと「とりあえず目の前に必要な知識」に偏りがちだからです。小説の執筆はまだ独学が主流ですが、ほとんどの独学者はストーリーのつくり方ばかりに熱中して、小説の執筆に必須である「日本語の文法の勉強」や「取材・事前準備」などをなおざりにし、気がつけば手遅れ、なんてことがけっこうあります。

資格試験だと、その業務をするうえで直接・間接に必要な知識を得られます。

あと、小説家になるのをあきらめたときや、小説家を廃業したときのための「保険」でもあります。小説家は医者や弁護士になることにくらべるとはるかに容易ですが、継続してやってゆくのは難しい。相応の資格があり、系統だった勉強をやっておき、その知識の程度を客観的に証明できればツブシがきく、ということです。

何よりも、資格試験は大なり小なり記憶力がモノをいいます。加齢とともに、確実に記憶力は低下します。若く、暗記ができるうちに、できることはやっておきなさい、ということです。

なぜ会社の仕事にかかわる資格がいいのか。

ごくシンプルに、会社でやってる仕事と重複する資格であれば、ゼロから学ばなくても済むからです。人間の一日は、生まれた日と死ぬ日以外は、すべての人間に等しく二十四時間しかありません。限られた時間を有効に使うのが大切です。

ぼくの場合、二十代の頃に在職していたタイトーというテレビゲームの会社で、ゲームコーナーの店舗開発営業をやっていました。その性格上、不動産の知識が必要で、宅地建物取引士（当時は宅地建物取引主任者）の勉強をしました。これで民法と都市計画の知識がつきました。

また、この当時、ゲームコーナーは風俗営業許可が必要となりました。その許可申請業務を行政書士にお願いするケースがあった。調べてみると行政書士の試験内容は宅地建物取引主任者の試験とけっこう重複する。せっかくなのでまとめて勉強して行政書士の資格もとっておきました。行政書士・宅地建物取引主任者は開業することなく合格証だけ手元にある状態ですが、法の基礎知識を学ぶので、後年、小説を書くようになったとき、刑法や刑事訴訟法の解説書を読むのにかなり助かりました。

趣味としては、居合道を二年ぐらいやりました。無双直伝英信流の道場に通い、初段を取得したところでギブアップ。ただ、納刀と抜刀をやったんで、三船敏郎の居合斬りの凄さは、本当によくわかるようになりました。あと、八光流合気武道を二十五年やって三段でリタイア。まあ、二十五年もやってて三段しか取れなかったんだから、まったく素質はありませんが、目だけは肥えてます。歴史小説で戦うシーンを書くときには役立ってます。柔術は理合いを言葉で表現することが多いので、助かります。武道というのは、段級位制をとっていて、こまめな達成感があるのがありがたい。

学校で学んだことをおさらいすることも、意外と大切です。高校や大学で学んだ知識は「系統だった専門知識」です。もちろん二十代以上だと卒業して相応の年数が経っているので、知識のアップデートは必要です。ただし、基礎知識があるので、ゼロから学ぶわけじゃない。

ぼくは日本大学経済学部経済学科で、まあ、学校の偏差値をみていただいてわかる通り、さして複雑な内容はやってません。四十年前のことなので、近代経済学だといっても微積分や線形代数が出るわけがなく（そんなものが出てたら卒業できねえよ）、せいぜい統計学をやったぐらいですが、それでもだいたいの考え方がわかって助かります。

我々の時代には行動経済学は知られていなかったんですが、経済学をざっと理解しておいたおかげで、カーネマンを読むときにかなり助かりました。

貨幣経済の話なんざ、学生時代に「こんなものを勉強して何の役に立つんだ?」と思ったものでしたが、元禄時代の貨幣改鋳によるインフレーションが赤穂事件の経費計算の発端になったことを理解するのに役立ちました。

重要なことなので、この節のまとめを繰り返します。大切なことは主に二つ。

一　専門知識を学びなおすことで、登場人物の、できることと、できないことを把握する。

二　知識の習得に才能は要らない。

とにかく、やってゆきましょう。

## 5　小説講座に通おう

プロになると決心したら、早めに小説講座に通いましょう。先に言っておきますが、別に鈴木輝一郎小説講座でなくて構いません。この数年で、小説講座はずいぶん充実してきました。

二〇一一年に鈴木輝一郎小説講座・岐阜講座を開講したときには、まだ「小説講座って効果あるの？」という疑問を示されることが多かった。このところ、ようやく認知されてきた、といったところでしょうか。

なぜ小説講座に通うことが必要か。

最も大きな理由は、自分の実力を評価確認するためです。

デビュー前の小説家志望者の作品の客観評価はきわめて難しい。下手すぎて評価が不可能だからです。

生まれて初めて書いた小説は「何が書いてあるのかわからない」のが普通です。ぼくの言葉に憤るか傷つくかする前に、少し冷静になって考えましょう。これがスケートだったらどうでしょうか。生まれて初めてスケート靴を履き、リンクを一周できたとき、「これでオリンピックに出られる！」と思いますか？

「友人に読んでもらう」のは時間の無駄——というより、誰も幸せになりません。

友人の立場になって考えましょう。

原稿用紙換算で数百枚の小説原稿を渡された場合、真っ先に考えるのは「こいつを怒らせるとめんどくさいことになるよなあ」です。あなたの未発表原稿は炸裂した怨念を継続させました状態の証明でもあることを自覚しましょう。

あなたの原稿を渡された友人が、次に考えるのは、

「逆恨みされたらかなわないので、どうやって無難に答えるか」

となります。

おのずと友人の感想も、無難なものになります。それが役に立ちますか?

「小説を書いている知人に読んでもらう」のは、いうまでもなく悪手です。理由は単純です。他人の作品を読んで的確なアドバイスができるのなら、とっくにその人自身がデビューしているからです。

小説でプロを目指す場合、独学には限界があります。

独学の場合、やりたいことしかやらず、やりたくないことを放置しても、誰も困らないからです。

たとえば、四章の冒頭からここまでにあげた「生理的欲求」「安全欲求」「社会的欲求」

は独学の場合、最も放置し、しかもその必要性を自覚しないことが通例です。鈴木輝一郎小説講座の受講生で、万年予選落ちしている受講生をチェックすると、けっこうな割合で放置しています。

あなたに何が不足し、何をすればいいのか、独学だと、理解しないまま「長いこと書いているのだから」という落選のキャリアだけが自慢になって筆力が落ちてゆきます。

小説講座は、何を基準にして選ぶか。

最優先すべき基準は「受講を続けられること」です。これは受講料が安い・近い（ネット講座なら拘束時間が短い）・居心地が「そこそこ」いいなどの要素をひっくるめています。

小説講座を受講し、講義での成果が作品と結果に反映されるまで、早くても二年から三年はかかります。これは単純に時間的な問題です。つまり、講義を受け、その講義を反映した作品を書き上げて応募し、応募した作品の結果を確認して筆力をチェックし（講師があなたの作品に対して評価したことが当たっているかどうか、あなたが講師の力量をチェックする場でもある）、次の作品にとりかかり、応募する、というサイクルだからです。

二〇二〇年の新型コロナが引き金となって、多くの小説講座がネット対応をはじめました。ぼくが高速夜行バスに乗って銀座の小説講座に通ったことを思うと、時代の違いを痛感しますね。

あと、その小説講座の目的を把握しておくことが重要です。「自分史を書きましょう」といった種類の小説講座は、「趣味と自己表現を目的とした執筆」であって、「新人賞を受賞してプロデビューするために書く」のとは、講座の目的が異なります。

あと、「小説講座には魔法はない」ことは注意してください。

小説講座は、あくまでもコンサルタントにすぎません。受講料を払ったからといって自動的に小説が書けるわけではありません。できあがった作品の水準をあげるだけで、教えられない事柄が、数多くあることも忘れずに。

# おわりに

さて、あなたはどういう思いで本書を手にとったのでしょうか。

小説投稿サイトやネットの書き込みと違い、紙から起こした書籍は、書いている最中、観客の拍手が聞こえないので想像で書くほか方法がないのですが、溺れる者の藁ぐらいにはなれたのではなかろうかと思っています。

小説の新人賞を受賞するためには、やるべきことは多い。けれど、絶望するほど難しいものでもありません。

「一ジャンルを書き上げるためには専門書を一千冊読みなさい」なんてことを言う場合もあるんですが、ご自身の仕事を考えると、その程度の蓄積は誰でも持っていますよね。

以前、「一万枚の法則（四百字詰め原稿用紙換算で一万枚書けば誰でもデビューできる、という法則）」って話をしたこともありましたが、いまのところ、そこに到達する前にデビューするか、あきらめるのかどちらかです。一万枚（四百万文字）を超えてもデビューできない例は、まだ目にしていません。


本書を読み終えた、そこのあなたに、二つ、お願いがあります。

ひとつは「デビューしたら生き残れ」。

もうひとつは「落選者の痛みを忘れるな」。


本書を読み終え、書いてあることを実行したあなたは、まあ、受賞するかデビューするか、します。

そう言うと「まさか」と笑うでしょうし、信じないでしょうけど、ぼくはあなたがデビューするだろうことを、笑わないし、信じています――というか、知っています。毎年、これだけの数のデビューに立ち合っているから断言します。

あなたはデビューできる。

問題は、それから。

プロとアマの実力の差は年々広がっています。新人賞はしょせん「応募している素人のなかのいちばん」に過ぎず、プロとしての実力が圧倒的に不足しています。ほとんど——おそらく九割を超える受賞者が、デビュー作または受賞後第一作を出せずに消えてゆきます。

飲食業は開業五年で九割が廃業するそうですが、小説家の場合、税務署に青色申告の開業届を出す前に廃業を強いられる。廃業率が高すぎて、廃業の統計をとることすら難しいという、笑えない現実があります。

鈴木輝一郎小説講座は受講料激安のうえ、ほぼ完全にリモート受講に対応しています。完全在宅受講が可能で、子供や老親のオムツを交換しながらの受講が可能にしてある。インターネットとパソコンは「健康で文化的な最低限度の生活」に不可欠なもので、生活保護を受けている状態でも、ネットにアクセスできる時代になりました。

また、「小説の執筆は鬱病を誘発する可能性があるので、精神科または心療内科に入院または通院の経験がある場合、主治医の許可をとるように」と受講時に伝えています。ぼく自身もアルコール依存症で現在治療中の身ですしね。

なんといっても、リモート受講中心で受講生間の交流はほぼゼロ、受講情報が外部に漏れる心配がない、ということがあります。

その結果、実にいろんな事情の受講生が集まるようになりました。

生活保護がおりず、役所のトイレで自殺をはかって救急搬送されてようやく給付をとりつけた人もいたし、病気のダンナと乳児をかかえてパートをしながらトイレの個室に入るたびにスマホで一行ずつ書いて自分のパソコンへメールして書き続ける人もいる。「小説家になる道しか残っていない」というのが、カッコつけなどではなく、人生の切実な選択先となっている人が、けっこうな割合でいるものです。

本書で「とりあえず収入を安定させよう」と書いているのはそうした受講生をたくさんみてきたからです。

ただし。

プロは結果がすべて。

『ハリー・ポッター』の著者のようなエピソードには事欠かないんですが、冷酷なことに、努力や情熱や苦労には点数はつかない――つかないんですよ。

さあ、あなたは本書を読み、本書に書いてある、あんなことやこんなことを実行して、デビューを果たしました。

新人賞というのは椅子取りゲームです。あなたが受賞したということは、これらのいろんな事情をかかえた小説家志望者の、生きる望みを踏み潰すことです。だからどうせえ、ということではありません。受賞やデビューの報《しら》せを喜ぶとき、落ちた人の痛みや苦しみの上に成り立っていることを忘れるな、ということです。

さて、そこのあなた――どこかのファミレスで、あるいはフードコートの片隅で、そうでなければ子供や認知症の老親から逃れるためにトイレの個室で、ここを読みながらスマホでこつこつと原稿を書いている、そこのあなた。とても大切なことなので、きちんと言っておきますね。

あなたは、ひとりではありません。ぼくも、そんな生活をしていました。『ハリー・ポッター』は、まだ書けていませんが。

小説を書くうえで、苦労は点数に入りません。

苦しいことも、辛いことも、「なぜ自分は報われないのか」と天を仰いで嘆いても、「なぜこんなにいろんなことが起こるのだ」と地に伏せて嗚咽《おえつ》しても、いい小説を書けるわけではありません。

ただひとつ。

小説を書いていると、苦しいことや辛い目に遭ったとき、あなたの脳裏に魔法の言葉がよぎることはたしかです。「いいネタを拾えた」という言葉が。

では、どこかの小説の授賞式で、お会いできるように。

※本書をお読みになったご意見・ご感想をお寄せください。

【あて先】
郵便番号　一五一－〇〇五一
東京都渋谷区千駄ヶ谷二丁目三十二番二号
河出書房新社　編集部
鈴木輝一郎著『何がなんでも長編小説が書きたい！』係

**鈴木輝一郎（すずき　きいちろう）**
一九六〇年岐阜県生まれ。日本大学経済学部卒業。九一年『情断！』でデビュー。九四年『めんどうみてあげるね』で第四七回日本推理作家協会賞受賞。著書として『浅井長政正伝』『本願寺顕如』『金ヶ崎の四人』『織田信雄』『姉川の四人』『桶狭間の四人』『新・何がなんでも作家になりたい！』『何がなんでも新人賞獲らせます！』『何がなんでもミステリー作家になりたい！』『新・時代小説が書きたい！』『印税稼いで三十年』等多数。主宰する鈴木輝一郎小説講座からは各新人賞受賞者を多数輩出。全国屈指の受賞率を誇る。

【著者のホームページ】
http://www.kiichiros.com

『鈴木輝一郎小説講座ダイジェストチャンネル』
https://www.youtube.com/c/kiishirosjp

# 何がなんでも長編小説が書きたい！
## 進撃！　作家への道！

二〇二二年一一月二〇日　初版印刷
二〇二二年一一月三〇日　初版発行

著　者　鈴木輝一郎
装　幀　坂川朱音＋鳴田小夜子（坂川事務所）
発行者　小野寺優
発行所　株式会社河出書房新社
〒一五一-〇〇五一
東京都渋谷区千駄ヶ谷二-三二-二
電話　〇三-三四〇四-一二〇一（営業）
　　　〇三-三四〇四-八六一一（編集）
https://www.kawade.co.jp/

組　版　KAWADE DTP WORKS
印刷・製本　株式会社暁印刷

Printed in Japan　ISBN978-4-309-03011-1
落丁本・乱丁本はお取り替えいたします。
本書のコピー、スキャン、デジタル化等の無断複製は著作権法上での例外を除き禁じられています。本書を代行業者等の第三者に依頼してスキャンやデジタル化することは、いかなる場合も著作権法違反となります。

## 河出書房新社・鈴木輝一郎の本

### 新・何がなんでも作家になりたい！

この一冊で、作家稼業のすべてが分かる！　本の書き方、書けるまで、作家の収入、税務処理、そして新人賞を確実に受賞する方法等、最新情報満載。作家志望者必読！

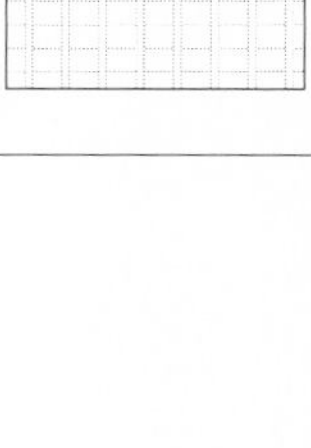


### 何がなんでも新人賞獲らせます！

カウンター読書法、複式履歴書法、ストーリー作成技法。独自の小説講座から、多数の新人作家を輩出してきた著者による、最短最速、絶対確実に作家になれる実践法！

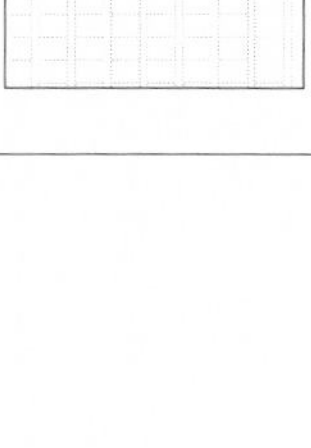


### 何がなんでもミステリー作家になりたい！

作家デビュー請負人・カリスマ講師がすべて教えます！ミステリーは大穴だ！「謎は冒頭で示す」「シーンは五つの要素から」等、ミステリーの実践的テキスト満載！

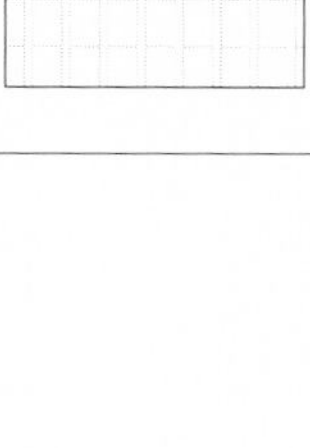


### 新・時代小説が書きたい！

すべて見せます！「時代小説」の舞台裏！　登場人物の履歴作成法、年表の作り方、資料の選び方、間違いやすい「暦法」「不定時法」の解説等、必読最新情報満載！

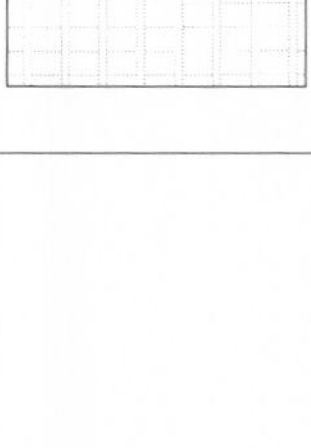